CONVENIÊNCIA
É O NOME DO NEGÓCIO

ARTHUR IGREJA

CONVENIÊNCIA É O NOME DO NEGÓCIO

Descubra como a inovação pode facilitar a jornada dos seus consumidores e multiplicar seus resultados

Planeta ESTRATÉGIA

Copyright © Arthur Igreja, 2019
Copyright © Editora Planeta do Brasil, 2019
Todos os direitos reservados.

Preparação: Diego Franco Gonçales
Revisão: Fernanda Guerriero Antunes e Vanessa Almeida
Diagramação: Triall Editorial Ltda
Capa: Thiago Lacaz

Dados Internacionais de Catalogação na Publicação (CIP)
Angélica Ilacqua CRB-8/7057

Igreja, Arthur
  Conveniência é o nome do negócio: descubra como facilitar a jornada dos seus consumidores e multiplicar seus resultados / Arthur Igreja. – São Paulo: Planeta, 2019.
  176 p.

ISBN: 978-85-422-1821-3

1. Negócios 2. Sucesso nos negócios 3. Inovações tecnológicas 4. Empreendedorismo 5. Serviços ao cliente I. Título

19-2243   CDD 658.4062

2019
Todos os direitos desta edição reservados à
EDITORA PLANETA DO BRASIL LTDA.
Rua Bela Cintra, 986, 4º andar – Consolação
São Paulo – SP CEP 01415-002
www.planetadelivros.com.br
faleconosco@editoraplaneta.com.br

Sumário

Prefácio 7
Introdução.. 11

Capítulo 1 – O superconsumidor – como chegamos
até aqui? 29
Capítulo 2 – O segredo está na jornada do seu usuário 47
Capítulo 3 – Se conveniência é o nome do jogo, precisamos
falar sobre a Amazon... 67
Capítulo 4 – O impacto das lojas que vendem conveniência .. 77
Capítulo 5 – As 7 faces da conveniência 93
Capítulo 6 – Metodologia – o que fazer na prática............ 117
Capítulo 7 – Tecnologia boa é tecnologia invisível 133
Capítulo 8 – O profissional do futuro............................... 151
Capítulo 9 – Conclusão.. 165

Agradecimentos.. 171

Prefácio

No Brasil, o ambiente de negócios é particularmente desafiador. Há muita burocracia, impostos elevados e alto custo de financiamento. Apesar disso, em função da mais longa e profunda crise econômica da história brasileira e de uma transformação tecnológica e comportamental significativa, o mercado de trabalho no país está se reconfigurando rapidamente. Cada vez mais, o Brasil está se assemelhando a nações desenvolvidas, onde há algum tempo têm aumentado o trabalho autônomo e o empreendedorismo em função de novas tecnologias. No entanto, ao contrário de muitos lugares do mundo, aqui sobra empreendedorismo, mas falta inovação.

A participação da tecnologia e a transformação digital alavancaram brutalmente a economia mundial. A tecnologia foi o vetor principal para a construção de muitas empresas mais competitivas e mais rentáveis. No Brasil, há vários campos com grandes oportunidades a serem aproveitadas e criadas.

Uma pesquisa do Idealab, uma aceleradora do Vale do Silício, aponta que o mais importante fator de sucesso das maiores empresas globais foi o *timing* com que seus principais produtos e serviços foi lançado. Em particular, em países em que a economia é muito cíclica, como o Brasil, esse é um fator que todos os empresários têm de dominar.

O brasileiro tem características marcantes ao empreender, como bastante coragem e disposição para trabalhar muito. Essa resiliência foi desenvolvida porque, nos últimos trinta ou quarenta anos, o empreendedor brasileiro foi treinado no pior campo de batalha possível, o que também ajudou a desenvolver sua capacidade de adaptação. Talvez por, com tanta frequência, ter de estar focado em um presente desafiador, compreender o que o espera no futuro, planejar e preparar-se para mudanças causadas por transformações tecnológicas – em vez de mudanças do ambiente macroeconômico – não seja algo que ocorra com tanta naturalidade ao empreendedor brasileiro. Como focar no amanhã quando há um incêndio aqui e agora a ser apagado?

O pequeno e médio empresário precisa desenvolver essa habilidade, aterrissar de vez na transformação digital e executá-la com excelência para encantar e conquistar clientes.

Este livro escrito pelo Arthur é o alerta de que muitos empreendedores precisam. Sem histeria ou terrorismo. Uma conversa honesta, no tom correto, em um momento propício.

Ainda é possível repensar as práticas tradicionais de gestão e incorporar uma mentalidade de inovação que pode beneficiar muito as empresas e a economia do país.

Quem não aderir à transformação digital agora acabará ficando fora do mercado. Mas o Brasil não necessita apenas de mais tecnologia, e sim de um empreendedorismo inovador, capaz de criar produtos e serviços novos, feitos para melhorar a realidade das pessoas sem necessariamente ter de recorrer a grandes dispositivos ou robôs complexos.

Precisamos também de mais inovação para reduzir a burocracia, aperfeiçoar a segurança jurídica, diminuir a complexidade tributária e facilitar o acesso a novos mercados, abrindo a economia brasileira, e para tantas outras finalidades transformadoras. Quem poderia parar um Brasil assim?

Mas, para que isso se torne realidade, é necessário aplicar cada vez mais a inovação na própria forma de pensarmos, o que exige uma profunda transformação cultural. A cabeça das pessoas é uma das coisas mais difíceis de mudar. Com estas páginas, o Arthur pode ajudá-lo a abandonar crenças que não fazem mais sentido. Ele ainda apresenta estratégias para converter visão em ações. Cada capítulo mostra como pequenos e médios empresários podem transformar seu negócio e lucrar mais se escolherem olhar para a interação com o cliente através das lentes da conveniência. É praticamente um guia, simples e didático, de como empresários podem trazer inovação para produtos ou serviços, inclusive para os que, a princípio, parecem menos propícios a isso.

Leitura imprescindível para quem compreende que, em qualquer cenário, alguns conseguem crescer – e crescer bem. São os que inovam.

RICARDO AMORIM
Economista, presidente da Ricam Consultoria, LinkedIn Top Voice #1 do Brasil, um dos 100 brasileiros mais influentes pela revista *Forbes*, autor do best-seller *Depois da tempestade*, cofundador da Smartrips.co e da AAA Plataforma de Inovação, um dos debatedores do programa *Manhattan Connection*, da Globo News, e colunista da revista *IstoÉ*.

INTRODUÇÃO
Em que mundo nós vivemos?

Pode respirar tranquilo. Este livro não é sobre tecnologia, nem sobre grandes investimentos, muito menos sobre ações complexas que companhias muito ricas estão colocando em prática para inovar nos negócios ou no que quer que seja. Também não é um desses "livros de susto", como eu costumo chamar, e que compõem grande parte do que foi publicado de 2014 para cá, focados em disrupção, em destruição criativa e em fazer você ter pesadelos com startups que estão neste exato momento em algum canto do planeta, pretensamente obstinadas em destruir o seu ramo de negócio.

Aliás, essa maneira de falar de inovação como quem anuncia o apocalipse geralmente causa 3 reações em empresários – e já adianto aqui que nenhuma delas é muito saudável.

A primeira é gerar certa paralisia. Quando as pessoas leem esses casos extremos de disrupção, podem ficar em estado de choque por não saber o que fazer e não tomar qualquer atitude para melhorar seu negócio.

A segunda é ignorar. Ao ouvir histórias de empresas que causaram mudanças faraônicas, como os cases Spotify e Netflix (que já até viraram chavão), o dono de um negócio mais tradicional, como uma padaria, por exemplo, tem a sensação de que coisas assim não pertencem à realidade dele. Afinal, qual a relação entre pão e digitalização de música? Essas companhias gigantescas criaram um sistema de assinatura e *streaming*, e isso mudou o mundo? Sim. Mas como é possível fazer algo assim com misto-quente ou pão de queijo?

Tudo parece papo de nerd multimilionário, e os pequenos e médios empresários tendem a se sentir fora da foto. O perigo disso é que aí eles se afastam da conversa sobre inovação, sendo que o tema, na verdade, vale especialmente para eles. As empresas brasileiras não são como a Uber, operando sem reportar lucro por causa de um caixa anabolizado por investimento, e nem são como as grandes, com seus 100 mil funcionários. As enormes são exceção. São os médios e pequenos que representam a maciça maioria dos negócios brasileiros. Eles precisam buscar inovação; porém, de outra maneira, que nada tem a ver com aquisições bilionárias. *Vale da morte* para esses empresários não é o período entre o aporte de investidores e uma projeção de lucro futuro em um slide de *pitch*. Vale da morte é a luta mensal entre a chegada dos boletos e as contas a receber. A conta precisa fechar.

Por fim, o terceiro comportamento fruto do anúncio apocalíptico a respeito dos impactos nos negócios trazidos pela inovação – e essa é a reação que mais me preocupa. Falo de quando as pessoas se conscientizam de que o mundo já se transformou e saem ensandecidas mudando absolutamente tudo que encontram pela frente, crentes de que uma das demandas da disrupção é jogar fora tudo o que não tem cara de tecnológico. Com uma mistura de pressa e modismo, mexem no perfil da equipe, tentam um novo modelo de gestão radicalmente diferente do que fizeram até aquele momento, colocam mesas de pingue-pongue e pufes coloridos na empresa e instalam um comitê responsável por inovar.

Não é por aí. Para diversos mercados, foi um exagero boa parte do que se construiu na fase inicial da discussão a respeito de inovação, com todos aqueles livros que tanto falaram de um mundo exponencial onde não haveria espaço para mais nada que fosse linear ou analógico. Em alguns casos, por empregar recursos tecnológicos que não estão disponíveis para muitas empresas em virtude do capital necessário para esse investimento inicial; ou simplesmente porque o tempo de retorno e custo de capital são bem diferentes no Brasil. São recursos tecnológicos que têm sua importância, mas demandam investimentos estratosféricos em soluções de uma complexidade absurda. Portanto, não são as que interessam a empresários brasileiros em um primeiro momento.

Eu sempre digo que ser empresário no Brasil envolve um grau de dificuldade muito maior em comparação ao exigido em outros países. Então, se você comanda uma empresa que está dando lucro, caramba, parabéns por sua coragem e competência. Isso é um sinal de que você já está fazendo do jeito certo a maior parte das coisas. Esqueça um pouco essa história de que é necessário destruir o seu negócio, jogar as cafeteiras pela janela e substituí-las por descoladas máquinas de expresso e barrinhas de proteína para seus gênios da inovação e levantar outra empresa praticamente do zero. Mas tenha em mente que o fato de o resultado ser positivo hoje não significa que será amanhã. Inovação é um exercício de oxigenação contínua das premissas do negócio – é fazer uma parcela das coisas de modo diferente. Não é preciso inovar 100% em um instante, mas sim ter um portfólio de inovação. Se você renovar parte deste portfólio com disciplina, quando olhar para trás depois de poucos anos terá outro negócio, irreconhecivelmente novo. A inovação é brusca apenas quando demoramos tempo demais para fazer algo a respeito.

Por isso, inovação virou uma *buzzword*. Antes, muitos acreditavam que o tema estava ligado à pesquisa, à academia ou aos empreendedores geniais que entram para a história. Agora, se deram conta de que é um assunto transversal, discutido em qualquer ambiente, e que serve para empresas de quaisquer tamanhos e segmentos, que é válido para a construção de todos os tipos de carreira, não importa a área.

Também acredito que deixou de ser um diferencial competitivo. Você deve se lembrar da época em que inglês fluente no currículo garantia as melhores vagas de emprego. Hoje, é tão básico quanto ir vestido para o trabalho. Da mesma forma, um tempo atrás até dava para afirmar que uma empresa inovadora estaria à frente da que não tivesse essa cultura. Mas o cenário já não é mais esse. Inovar hoje é uma competência essencial. O que quer dizer que se tornou tão necessária quanto contabilidade, operações ou RH. Não há mais como acreditar que é possível manter um modelo de negócio estável, tradicional e imutável, ainda que ele seja comprovadamente bem-sucedido.

Inovação é um jeito novo de fazer algo e que gera resultado. Está longe de ser uma ideia ou modelo de negócio. Só faz sentido quando tem gente usando, pagando e recomendando espontaneamente. Deveria ser encarada com muito mais pé no chão do que todo esse papo sobre empresas que desaparecem (quantas vezes você ouviu sobre Blockbuster vs Netflix?) e startups que vão engolir o mundo na semana que vem.

Como o assunto está reverberando por todo o lado, é normal as pessoas estarem tão instigadas. Todos querem falar de mudanças em tempos em que se amontoam notícias sobre transformações digitais. Porém, a questão é mais profunda. Vai além da simples chegada de um novo aparelho ou dispositivo que virará objeto de desejo.

Pode parecer que, para se adequar, tudo que um empresário precisa fazer é acoplar mais tecnologia ao negócio que já existe e pronto, o que não era digital passou a ser e a empresa está a salvo – ela está com um programa de transformação digital. Não é verdade. O tecnológico é apenas uma parte nesse contexto. A transformação comportamental e social que está acontecendo representa uma modificação intensa no jeito de se fazer negócios, de se gerar e de se entregar valor.

Também há um sentimento coletivo de que a velocidade da transformação está aumentando ao longo do tempo, o que é só parcialmente verdade. Ao escutar algum expert futurista dizendo algo como "o mundo está mudando em uma velocidade assustadora", vale colocar em perspectiva o que ele está afirmando. O que quero dizer? Um jeito fácil de entender é usando uma analogia de fofoca. Se João faz uma fofoca a respeito de José, o que é revelado na conversa não é a informação da vida de José, e sim o sistema de valores de João. Com essa noção da velocidade das mudanças é muito parecido. Quando há pessoas afirmando que as coisas estão em uma transformação veloz demais, a crença diz mais a respeito de quem fala do que da velocidade em si. Quando alguém afirmar, depois de ter participado de alguma conferência de inovação, que tudo vai mudar no dia seguinte, muito provavelmente isso quer dizer que ela só entendeu durante esse evento algo que aconteceu durante décadas.

Imagine a cena. Você é colocado dentro de um carro que corre a mais de 300 km/h. Possivelmente seria uma das experiências mais assustadoras de sua vida. Para um piloto de Fórmula 1 isso é mais um dia de trabalho. E ele reclama na maior parte do tempo com sua equipe sobre a falta de velocidade do carro. Como as duas percepções sobre a mesma velocidade podem ser tão diferentes? Resultado direto do preparo e da frequência com que cada um faz isso. Quanto mais entendermos de inovação, mais lento o mundo fica em volta e menos transformação disruptiva seu negócio vai demandar.

Ao mesmo tempo que tem gente gritando por aí: "Cuidado, tudo está entrando em colapso!", há o pessoal das startups, colocando a inovação para funcionar ao discutir, em encontros e palestras, uma visão de que o mundo, na verdade, está caminhando devagar. A explicação é que, por vezes, existem a tecnologia e a infraestrutura para viabilizá--la, mas falta uma atualização de mentalidade, especialmente por parte dos empresários. E aí, a mudança que já é rotina em outros países leva mais tempo para se estabelecer aqui.

Então por que temos a sensação de que a agilidade das transformações é surreal, quase impossível de acompanhar?

Quando resolvemos parar para entender o que está acontecendo à nossa volta e vamos atrás do conhecimento, levamos um susto. E, por ser nova para nós, a inovação parece ter aterrissado agora no mundo. Mas em quase todos os casos, a informação que obtivemos trata de uma mudança que iniciou há dez ou quinze anos. A noção de velocidade só pode ser ajustada se o empresário tomar para si o protagonismo, com decisões em seu negócio para que as transformações aconteçam com mais celeridade.

Digo isso porque, como consumidores, os brasileiros mudam com muita velocidade; no entanto, não é com a mesma rapidez que ocorre a tomada de decisão. Para entender isso melhor, gosto de contar o caso da Uber, só que por uma ótica um pouco diferente. O aplicativo estava em funcionamento nos Estados Unidos desde 2008. Chegou ao Brasil em 2014, época em que uma placa de táxi valia malas de dinheiro. Em grandes cidades, ter um táxi era estar inserido em um modelo de negócio estável. Com a Copa do Mundo e a ameaça de crise no transporte pela deficiência do sistema público e a alta demanda que deixaria passageiros sem táxis, a empresa Uber enxergou a oportunidade perfeita para começar a operar por aqui.

O Brasil tinha a tecnologia, que eram os smartphones. No país também já existia a infraestrutura para realizar chamados aos motoristas do aplicativo, que eram as redes 3G e 4G. Tecnicamente, a implantação era até fácil. O desafio estava em fazer as pessoas compreenderem o que estava acontecendo. Tanto que, quando começou a funcionar, o que mais se comentava era que o transporte havia sofrido uma grande inovação de uma hora para a outra. Só que, no exterior, a Uber já estava em funcionamento havia pelo menos cinco anos. Será que, nesse período entre 2008 e 2014, nenhum taxista entrou na internet para pesquisar no Google a respeito do futuro do táxi? Para procurar a resposta para o que aconteceria com o negócio dele nos próximos anos? Percebe o quanto é questionável a narrativa de que isso chegou "do nada"? Parte da revolta foi causada pelo modelo mental que entrou em colapso, pela crença de que, para operar no setor de transportes, era necessária a concessão de uma licença. Como esses caras conseguiram invadir o mercado sem mais nem menos? O avanço é um convidado que eventualmente pede desculpas, mas raramente pede licença e anuncia sua chegada.

Inovação depende de *timing* e local

Para inovar é preciso acertar o *timing* de 3 variáveis fundamentais que normalmente estão em tempos diferentes: tecnologia, estrutura e mentalidade. Normalmente, a tecnologia está no futuro; a estrutura determina e limita o presente; e a mentalidade ainda está presa ao passado. Já conhecemos tecnologias que têm o potencial de mudar radicalmente nossas vidas, e de tempos em tempos você se recorda da última vez que alguém falou sobre carros autônomos por todo lado, testes de DNA que permitem diagnósticos inéditos e impressão

3D na casa dos consumidores. Quando você entendeu o potencial e ouviu falar que tudo isso já era realidade em algum canto do mundo, deu aquele frio no estômago de que um *tsunami* estava chegando. Depois de um tempo você percebe que aquilo ainda não aconteceu. O que limita a adoção dessas tecnologias? A estrutura.

Estrutura, aqui, é uma definição ampla que engloba a estrutura de uma empresa ou a infraestrutura de uma cidade ou país, por exemplo. É todo fator limitante para a adoção de uma dessas tecnologias. No exemplo da Uber, mesmo que o software estivesse pronto (tecnologia), caso não houvesse cobertura 3G ampla e acessível em 2014 de nada adiantaria o empurrão da Copa do Mundo. Se a mesma estratégia tivesse sido adotada alguns anos antes, a história poderia ter sido bem diferente. A Uber não criou o modelo de negócio de transporte compartilhado nem tinha a melhor tecnologia, mas foi mais feliz em identificar o momento adequado para propor esse modelo em cada cidade, exatamente como aconteceu no Brasil durante a Copa do Mundo.

Mesmo com tecnologia e estrutura disponíveis o teste final é o mais complexo: o da mentalidade dos consumidores. Você pode ter a tecnologia do futuro e estrutura no presente que sirva de base para suas inovações, mas lembre-se de que a mentalidade do público normalmente está no passado. Vai ficar mais fácil entender com um exemplo.

A Estônia é um país sempre citado como referência quando o assunto é tecnologia e inovação. Para aumentar sua competitividade e atratividade para investimentos, essa nação decidiu focar intensamente em reduzir burocracias e utilizar tecnologia para digitalizar serviços públicos, a ponto de, em determinado momento, eles decidirem digitalizar e tornar móvel o processo eleitoral. Em um tempo em que muitas pessoas possuem um supercomputador no bolso que permite transações de qualquer valor pelo *internet banking*, muitos deles com biometria, é razoável imaginar que a tecnologia esteja pronta para a votação. E quanto à estrutura? Se o país possui cobertura para redes de alta velocidade, o problema está resolvido. Os eleitores aceitaram bem a proposta, e atualmente na Estônia é possível escolher seu candidato por um aplicativo, no conforto de sua casa, usando o *smartphone*. Pense o quanto isso poupa tempo das pessoas. Em vez de milhões de cidadãos se deslocando em uma manhã de domingo para votar, a votação vai até eles. Em vez de milhares de urnas (hardware), uso de aplicativo (software). Certamente a proposta parece atraente. Se deu certo por lá, podemos importar essa inovação no Brasil imediatamente. Será?

Um dos maiores equívocos consiste em ver uma tendência ou um exemplo que deu certo em outro lugar e tentar copiar sem antes testar as 3 variáveis que influenciam a adoção de uma novidade. Vamos por partes. A primeira pergunta é: temos tecnologia para votar usando smartphones no Brasil? A resposta sem medo de errar é sim, porque alguém já fez isso, como foi o caso da Estônia.

Segunda pergunta: temos estrutura para que todo brasileiro vote dessa maneira? Não, nem todo tem *smartphone* ou acesso a redes de alta velocidade para baixar aplicativos e votar. E caso o sistema escolhido demandasse biometria, esse número cairia ainda mais. Mas partindo do pressuposto de que grande parte da população tenha ambos (*smartphone* e internet), seria possível pelo menos usar esse modelo em parte das cidades brasileiras. E aí chegamos à pergunta mais importante: a população brasileira está pronta para esse passo? Se sua resposta foi sim, isso demonstra sua percepção pessoal e pode ser um indicador sobre como é o comportamento do consumidor em sua cidade e região, e o mesmo vale em caso de resposta negativa. Minha impressão é que não estamos nem perto de conseguir usar um modelo parecido com esse. Na eleição de 2018, a acalorada discussão nas redes sociais muitas vezes tinha como argumento o desejo de voltar ao modelo eleitoral que empregava cédulas, isso pela possibilidade de contar manualmente os votos. Note que essa manifestação traz indícios de que parte da população ainda não absorveu totalmente a adoção da tecnologia da urna eletrônica, e que possivelmente seria ainda mais conservadora na adoção de uma tecnologia de vanguarda como a votação móvel ou por *blockchain*. Outro ponto levantado com frequência é que países como os Estados Unidos ou o Japão, apesar de possuírem alta renda *per capita* e uma população que usa muita tecnologia (especialmente no Japão), ainda preferem o voto com cédula de papel. Isso apenas reforça que alguns aspectos culturais e comportamentais são absolutamente contraditórios. Se entender o público fosse uma tarefa cartesiana, Marketing seria um curso de Engenharia.

A conclusão é a seguinte: já podemos vislumbrar tecnologias que serão muito comuns no futuro, porém muitas vezes a estrutura disponível em um determinado local impede sua ampla adoção. Mas quem realmente determina se algo vai pegar é a cabeça do público, e esta normalmente ainda está presa ao passado. Você pode ter a melhor tecnologia do mercado em uma cidade com estrutura invejável, mas se seu público for muito conservador ou sua estratégia não abarcar desde o início o desafio de transpor essa dificuldade, sua iniciativa tem grande risco de ficar pelo caminho. Toda vez que ouço um *pitch* ou apresentação corporativa que descreve impecavelmente em um slide como o público vai amar a proposta daquela empresa, sinto-me como o Garrincha na Copa de 1958 questionando o plano perfeito do técnico Feola: "Tá legal, Seu Feola... mas o senhor já combinou tudo isso com os russos?". Nada mais animado do que um *hackathon* em uma aceleradora, entusiasmo muitas vezes acelerado pela projeção de crescimento (sempre geométrica) do próximo candidato a unicórnio. Slide e planilha aceitam tudo. Falta combinar com os russos se eles querem isso mesmo.

A única coisa binária em inovação é o processamento de informação, nunca o público ou o *timing*. Quando me perguntam quando veremos a ampla chegada dos carros autônomos, sinto que a resposta esperada é algo como: "Às

5h da tarde do dia 14 de maio de 2025". Nunca é assim. Tudo depende do lugar em que você vive (estrutura) e do público (mentalidade). Se perguntarem para alguém em São Francisco, nos Estados Unidos, quando veremos o futuro dos carros autônomos, possivelmente a pessoa até estranhe a pergunta, pois lá a realidade dessa tecnologia é diferente. Várias montadoras testam seus protótipos diariamente, e o entrevistado poderá até corrigir o entrevistador: "Essa pergunta sobre o futuro, na verdade, pertence ao passado". No outro extremo, quando alguém em um rincão brasileiro desdenhar os carros autônomos porque em sua cidade as ruas são todas esburacadas e esses automóveis não teriam vez, estará automaticamente ignorando que isso não impede que essa tecnologia prospere em um grande centro com boas ruas e alto poder aquisitivo. Outro ponto importante é notar que no início parece que as coisas deram até errado, mas depois invertem essa tendência e aceleram. Um exemplo é a eletrificação do transporte, uma promessa de longa data que parece nunca vingar no presente. Mas basta ver a importante participação dos híbridos nos lançamentos da indústria automobilística brasileira e que mais de 50% dos carros novos vendidos na Noruega já são elétricos. Mais da metade? Soa como surpresa porque você não vive por lá, mas para um norueguês a notícia seria apenas um dado aborrecido sobre o que ele vê todo dia na rua. O mesmo aconteceu com energia fotovoltaica, uma promessa surgida na crise do petróleo nos anos 1970 e que ficou na cabeça de muitos gravada como cara e inacessível. Hoje vemos painéis solares sendo instalados em pequenos estabelecimentos no Brasil.

Na maioria das vezes, as pessoas são pegas de surpresa porque não observaram os sinais. Claro que há transformações que são mais sutis e nem tão fáceis assim de serem captadas. A internet é um exemplo. No Brasil, ela entrou em grande medida nas casas e nos estabelecimentos há vinte e três anos. O *boom* foi em 1996, com aquele barulho estranhíssimo do modem para conectar na linha telefônica. A mobilidade veio depois e ainda é recente. Há apenas doze anos passamos a ter smartphones decentes. O marco dessa era foi o lançamento do iPhone no final de junho de 2007. E a sutileza está em como tudo isso afetou profundamente o consumidor. Alguns empresários ainda não perceberam que o cliente de hoje sofre metamorfoses o tempo inteiro porque consome toneladas de informação. São homens e mulheres cuja barra de exigência aumentou proporcionalmente ao acesso a novos conhecimentos. O hábito de consumo atingiu outro nível. As pessoas passaram a ter experiências de consumo muito mais refinadas e fluidas, vivências tão diferenciadas que transformaram a definição de consumidor.

Então, se esse cliente agora é exigente e conhece em detalhes aquilo que está comprando, se ele está mudando tão rápido a ponto de ser possível afirmar que aquele que entra hoje em uma loja em busca de um produto ou serviço não é o mesmo que entrava um ano atrás, toda empresa deve conseguir compreender esse contexto e se adaptar na mesma velocidade. Com isso, a inovação ganhou urgência na lista de desafios que qualquer empresário precisa aprender a vencer. No passado, um negócio permanecia estável porque o consumidor continuava o mesmo por décadas. Hoje, o perfil do cliente se modifica em meses, ou até semanas, moldado pelo que ele vive enquanto testa a fluidez que há em alugar um patinete estacionado no meio da rua, ou a que existe em pagar uma compra com a aproximação do celular. Antes, ele até aturava esperar horas para ser atendido. Agora, não perdoa filas nem a burocracia que negócios estacados em modelos antigos estão entregando. É um grupo de pessoas que traz uma tensão muito maior para os empreendimentos, porque por vezes conhece melhor do que o vendedor o produto ou o serviço que desejam. Só empresas inovadoras são capazes de atendê-lo.

    O fundamental é entender qual é o ponto comum entre empresas que cultivam a inovação. Muitos acreditam que é a quantidade de tecnologia. A resposta não poderia estar mais distante disso. Grandes empresas de inovação são exímias criadoras de conveniência na jornada do consumidor. São facilitadoras. Criam soluções que poupam e até devolvem tempo para as pessoas. Resolvem em poucos passos, simplificam, conseguem customizar e facilitar. O grau de satisfação do consumidor dispara. E aqui está a questão central deste livro. Você não precisa de inovação para que a sua sorveteria coloque bolas na casquinha usando robôs, mas para continuar de mãos dadas com o consumidor usando a inovação a seu favor. O maior desafio para qualquer empresa atualmente é conseguir mudar na mesma velocidade que mudam os hábitos de seus consumidores. Durante os capítulos que seguem, você irá aprender aspectos práticos para que o seu negócio crie conveniência inspirado em uma cultura inovadora, baseado no que fazem hoje as melhores companhias do mundo. Uma cultura em que inovar é descomplicado, algo que pode ser aplicado por qualquer empresa brasileira, não importa o tamanho nem o ramo em que atua.

Não se preocupe. Sei que ninguém mais quer saber sobre os grandes exemplos que a Apple, com o seu caixa de bilhões de dólares à disposição, está colocando em prática. Ou sobre como a genialidade da Amazon, a empresa mais valiosa de capital aberto do mundo, está a todo vapor. É quase como uma pessoa sedentária que pretende começar uma rotina de exercícios físicos para melhorar a saúde receber a ficha de treino de um campeão olímpico. O sedentário provavelmente continuará parado no lugar.

Este livro é sobre como começar a caminhar. Vamos falar dos primeiros passos para que uma empresa crie o hábito saudável da inovação. Não se trata mais de um projeto temporário, mas da aquisição de um novo costume, que inclui constância e disciplina para oxigenar as competências e as práticas do negócio.

O que você tem em mãos é um guia que mostra não somente o que deve acontecer no futuro provável, mas de que maneira você pode construir o seu futuro preferível dentro desse amanhã que está fora do seu controle. Haverá uma mescla de mais tecnologia, mais competição, margens mais apertadas para alguns, e mais modelos inovadores de negócio. O que você pode fazer para alavancar o seu próprio negócio e agradar consumidores tão inteligentes? Conveniência é o nome do jogo.

CAPÍTULO 1

O superconsumidor – como chegamos até aqui?

A construção do superconsumidor não se deu em um instante: é um trajeto que nós iniciamos anos atrás e que ainda estamos percorrendo. Durante o caminho, enquanto produtos revolucionários surgiam no mercado, empresas consideradas verdadeiras muralhas entravam em colapso. Não sobrou quase nenhum espaço para essas marcas, a não ser o primeiro lugar no pódio de chavões das palestras de inovação. Em pleno 2019, futuristas do mundo corporativo ainda adoram citar Kodak, Blockbuster, Xerox enquanto alertam empresários sobre dormir com a luz acesa para que o fantasma da disrupção não leve suas almas para o Reino das Empresas Falidas.

Caso ainda tenha ficado alguma dúvida, vou reforçar que não, o seu negócio não será empurrado no precipício pela inovação. O fundamental aqui é você compreender a razão de todas essas revoluções nos modelos de negócio terem acontecido. Quer dizer, por que empresas que permaneciam por muito, muito tempo na S&P 500 (as 500 maiores companhias da Bolsa de Nova York) passaram a sumir da lista? Por que, de repente, estávamos lendo nos jornais reportagens sobre grandes marcas estarem quebrando? As manchetes citavam Uber, Netflix e Spotify para justificar o desaparecimento de tantas empresas. Mas por que tanta disrupção em todo o canto, e por que exatamente agora?

Boa parte do atual rompimento no modo tradicional de empreender foi impulsionada pelo fato de a sociedade ainda estar digerindo alguns efeitos tecnológicos. Isso significa empresas sendo regidas por conceitos que surgiram recentemente, nas últimas três décadas, e tendo que seguir com o trabalho enquanto se esforçam para depreender a quantidade absurda de novidades que tiveram de absorver. Muito mais importante do que olhar a tecnologia, precisamos entender qual mudança cultural e comportamental ela causou. Precisamos inverter o ponto focal de nossa atenção: menos *hype curves* de tecnologia e mais observação das transformações dos hábitos. Para exemplificar, a principal transformação foi a telefonia móvel, que marcou a ruína de uma série de normas e paradigmas.

Um dos maiores conceitos que o celular dilacerou foi o de horário comercial. A norma que obrigava a presença no escritório das 8h da manhã às 6h da tarde foi estabelecida para que as pessoas pudessem se comunicar em uma época que toda tecnologia que havia disponível era a telefonia fixa. Basicamente, para que os negócios fossem fechados, os envolvidos tinham que ser localizados, o que queria dizer estar perto do telefone da empresa. Então, das 8h às 18h, qualquer empresário tinha a confiança de que, se discasse um número para conversar com um fornecedor, seria atendido.

Mas o celular destruiu a regra. Quando as pessoas experimentaram a telefonia móvel, perceberam que dava para contatar quem quisessem em qualquer horário e em qualquer parte do mundo. Junto com a facilidade, a nova tecnologia também plantou questionamentos: "Por que estou indo trabalhar às 8h da manhã se posso falar com quem quer que seja a qualquer momento do dia? Aliás, será que às 8h da manhã é o horário em que eu consigo ser mais produtivo?".

Toda evolução tecnológica desafia os hábitos, bem como a forma de as pessoas se comportarem e trabalharem. O celular e a internet nos tiraram do que eu chamo de sistema *single shot sales*, em que as empresas viviam totalmente focadas em vender um produto uma única vez para um cliente. Se conseguiam, viravam as costas para nunca mais ver aquele cidadão. E, apesar de atualmente não haver mais espaço para uma relação assim com o consumidor, muitas marcas seguem com essa mentalidade de setenta anos atrás. Por isso, sofrem com tantos problemas nesta era profundamente digitalizada.

Se voltarmos no tempo, o *single shot sales* era visto na época como o único modelo de vendas possível. Não existiam canais de distribuição, então o vendedor colocava um aspirador de pó no porta-malas do carro e saía cruzando um país inteiro para tentar vendê-lo. Batia de porta em porta com o objetivo de descobrir em quais casas ainda não havia o eletrodoméstico e talvez conseguir fazer uma demonstração a um potencial comprador.

O preço dos produtos vendidos nesse sistema era caríssimo. No valor cobrado do consumidor era amortizada a despesa gerada pelo comercial ineficiente. Além disso, o custo do produto era muito alto. A justificativa era a sua imortalidade. As empresas da época estavam preocupadas em oferecer itens que durassem uma eternidade. Por esse motivo, o relacionamento de venda era lento e analógico. A compra dependia de uma pessoa olhar no olho da outra. Vê-se essa história no filme *Fome de poder*, que conta a trajetória de Ray Kroc, responsável por expandir o McDonald's para os Estados Unidos inteiros e criar a escala da marca no país. Antes de entender o modelo de franquia, Kroc trabalhou vendendo máquinas de *milk-shake*. Viajava vários estados americanos de carro para visitar lanchonetes e fazer demonstrações.

Outro exemplo que ilustra esse conceito de produtos feitos para durar uma vida é o Fusca. Antigamente, ninguém precisava saber se o carro que o amigo ou o vizinho tinham era 1972 ou 1975. Bastava a informação de que se tratava de um Fusca; o nome definia o produto e o relacionamento de muito longo prazo com a marca. Da mesma forma, não se saía de casa em um sábado para ir a alguma loja buscar um modelo novo de aparelho de telefone fixo, aquele com o dial (se você nasceu depois de 1996, procure o termo no Google para ter alguma noção do que estou falando). As pessoas adquiriam um e o usavam até que ele finalmente parasse de funcionar. O produto muitas vezes acompanhava a família até os filhos se tornarem adultos.

Mas, em determinado momento, esse jeito de pensar os negócios começou a apresentar problemas. Como os produtos eram imortais, a meta de toda empresa se resumia à expansão de território com o objetivo de encontrar clientes que ainda não tinham adquirido o produto. A comunicação com o consumidor se dava por meio de mídia ampla, com chamadas de televisão e de rádio para impactar um número grande de pessoas e, assim, sensibilizar possíveis canais de distribuição. Até que poucos eram aqueles que não tinham aspirador de pó, Fuscas e telefones fixos. E o modelo de negócio entrou em uma estagnação.

As empresas foram obrigadas a repensar a estratégia, e a fase que se seguiu ficou conhecida como a das vendas seriadas, que eram feitas para o mesmo consumidor. Foi o ponto em que houve uma desconexão entre utilidade e performance. A indústria não estava mais focada em fabricar um produto que duraria uma vida toda, e sim em criar desejo. Por trás disso estava uma mudança tecnológica.

Diferentemente do que acontecia antes, em que só fazia sentido comprar um telefone fixo novo quando o de casa parava de funcionar, hoje as pessoas trocam de *smartphone* antes mesmo de apresentar o primeiro defeito. E a vida útil dos produtos se tornou uma incógnita. Ninguém permanece com eles tempo suficiente para descobrir sua duração; continuam *performando* – ou seja, funciona –, mas não são mais úteis ou desejáveis.

Alguns aspectos foram fundamentais para que tivéssemos esse hábito de compra no presente. Barateamento de produção, criação de desejo e uma nova visão a respeito do público-alvo. Em vez de expandir territórios e encontrar novos clientes, as empresas passaram a convencer o consumidor que já tem o produto a trocá-lo todos os anos por uma nova versão. Este é o motivo de a Apple apresentar um novo iPhone a cada ano, e a Samsung, um novo Galaxy.

O relacionamento seriado, com a mentalidade do "quero todo ano vender, todo ano vender, todo ano vender", funcionou entre o finalzinho dos anos 1990 e a entrada dos anos 2000. O modelo foi superado por causa de outra mudança tecnológica: a conexão de consumidores com a banda larga e a mobilidade. A combinação fez surgir o formato de serviços com atributos de conveniência, e aí o mundo viveu a mais profunda transformação dos negócios.

Já se perguntou por que o Spotify conseguiu bater o MP3, um produto que era virtualmente gratuito? Quem queria ouvir música digitalmente, estava acostumado a baixar arquivos em desktop. E toda vez que a playlist tinha que ser atualizada, isso tinha que ser feito de casa, na frente do computador. Primeiro, o download das músicas desejadas para só então as transferir para o tocador de MP3. A banda larga acabou com isso. As pessoas começaram a ouvir música em *streaming*, no meio da rua, no trabalho, fazendo exercícios ao ar livre. Não importava o lugar que estivessem, a música estava à mão. A facilidade deu sentido ao que antes todo mundo acharia absurdo, e as pessoas começaram a pagar pelo serviço do Spotify. A empresa passou a cobrar por aquilo que era possível encontrar de graça em sites de pirataria na internet. Mas quem ainda estava interessado em ter que esperar chegar em casa para fazer downloads no computador e ainda ter de organizar pastas de música? Sem contar a possibilidade de baixar um arquivo comprimido com vírus. A indústria fonográfica tentou derrubar o Napster e sites de Torrent com medidas judiciais. O Spotify superou a pirataria com experiência do usuário focada em conveniência.

Essa infraestrutura de mobilidade somada à banda larga possibilitou que o usuário chegasse a um nível diferente de experiência. A estrela do show não era mais o melhor produto, mas o mais conveniente. A lógica dos negócios foi afetada em alto grau, marcando o fim de um modelo de vendas e a chegada de um processo um pouco mais complexo. O relacionamento de serviços.

Toda empresa, para parar de pé, até então tinha que modelar variáveis como o *Customer Acquisition Cost* (CAC), o mesmo que Custo de Aquisição do Cliente. A conta envolvia tudo o que a empresa gastava com marketing e canais de distribuição comerciais. Outra variável a ser considerada era o preço do produto vendido. O valor de venda, cobrado dos clientes, devia ser suficiente para cobrir os custos de produção, as despesas que a empresa tinha na venda e para gerar lucro. Porém, a tecnologia começou a ser empregada em alta escala no que diz respeito à entrega e ao produto e algumas dessas lógicas foram transformadas para sempre.

No modelo de venda tradicional, ainda que houvesse barateamento da escala de produção, o custo para se fabricar o produto seguia significativo. A partir do momento que as empresas começaram a, sabiamente, centralizar o negócio em oferta de serviço, os gastos com produção desapareceram. Na prática, o que o desenvolvimento de um software como Spotify fez foi eliminar a produção de CDs. Eles foram substituídos por uma plataforma cujo custo para a empresa, não importa a quantidade de usuários, seja 10 mil ou 10 milhões, será praticamente o mesmo. Isso também quer dizer que, a cada novo assinante, o negócio se torna mais barato. Uma escala desse porte é algo único.

Assim, caiu a preocupação em vender, e a questão do preço deixou de ser tão relevante. Hoje a recorrência é o que dá resultado. As empresas agora falam em mensalidade. Lá atrás, para comprar um CD, por exemplo, o cliente refletia sobre o custo daquele desembolso e o benefício restrito que teria em troca. Afinal, um CD era um conjunto muito pequeno de músicas.

Hoje, o que esse consumidor recebe é a oferta de pagar R$ 17,00 por mês para ter acesso a um catálogo colossal. Fazendo a conta, ele logo percebe que a mensalidade cabe com tranquilidade no bolso e por isso aceita o acordo. Não calcula que, na verdade, está concordando com R$ 17,00 vezes doze meses por ano, vezes o número de anos que ainda continuará assinante do serviço. Ou seja, ele não está deixando somente R$ 17,00 por mês no caixa da empresa, mas alguns mil reais. É o que se costuma chamar de *Life Time Value* (LTV), que significa o valor vitalício de um cliente e a quantidade de dinheiro que ele vai dar à empresa por todo o tempo em que comprar com ela.

A beleza do modelo de serviço é justamente a ausência do estresse de venda. Não há donos de negócio se matando para convencer consumidores a comprarem objetos caros. Além disso, o que a tecnologia ajudou a criar foi uma experiência matadora na parte comercial, com foco total na vivência do usuário. Então, se antes os empresários estavam debruçados em produto, preço, custo e estratégia de venda, as novas empresas estão obcecadas em serviço *versus* produto, mensalidade (LTV) em vez de preço, e o custo foi substituído por investimento em tecnologia justamente para baratear as despesas do negócio. A tradicional estratégia de venda deu espaço à fidelidade, em que a meta é manter as pessoas ligadas a uma marca. E, segundo esse novo modelo de negócio, um cliente fiel é aquele que recebe experiências que são convenientes, fluidas e satisfatórias por trazerem facilidades. Ter um *churn* baixo (taxa de cancelamento de assinaturas) é fundamental, pois ele sinaliza duas coisas: satisfação dos consumidores e previsibilidade nas receitas.

É chocante a profundidade dessa transformação. E ela se materializa em casos como o do patinete. Bom, você certamente notou a invasão de patinetes elétricos em várias cidades do país, um negócio que começou nos Estados Unidos e na Europa e recentemente atingiu o Brasil.

Se você pensar em oferecer um produto assim no modelo velho de vendas e de relação com o cliente, a comercialização imediatamente se provará inviável. Mas, na nova lógica de serviço e conveniência, é mais fácil viabilizar o negócio. Porque esse patinete se transforma em uma experiência rica, fluida e digital.

A Uber ganhou o mercado pela conveniência em chamar um motorista (aplicativo) em vez de ficar acenando na calçada ou ligando em um ponto de táxi. Idem com o pagamento. Antes de 2014, muitos taxistas não aceitavam cartão. A Uber digitalizou essa relação aumentando a segurança (menor transporte de valores) e agilizando a tarefa de pagamento.

Mas o que o patinete tem a ver com isso? Patinete está para a Uber assim como a Uber esteve para o táxi.

Grande parte das empresas que disponibilizam a locação de patinetes gastou por volta de U$ 500,00 com cada um, algo em torno de 4 mil reais. Alguém com a cabeça nos negócios pré-conveniência e pré-digitalização poderia cogitar abrir um negócio para vendê-los. Será que seria viável? A importação tornaria o valor do produto caro demais. O cliente perderia o interesse assim que fizesse a comparação com o preço de uma moto, ou se chegasse à conclusão de que era um valor alto demais para algo que parecia mais com um brinquedo. Resultado? O planejamento sobre o mercado potencial de patinetes rapidamente se mostraria inviável.

A mentalidade ajustada para a conveniência muda a análise de oportunidade. Imagine uma pessoa na avenida Paulista pensando em chamar um táxi ou um Uber porque tem um compromisso a 5 quarteirões de distância. Enquanto calcula que a chegada do carro vai demorar alguns minutos e a viagem vai custar algo em torno de 7 ou 8 reais, essa pessoa vê ao seu lado um patinete para locação. Faz uma pesquisa rápida para descobrir que, para usá-lo, só precisa baixar um aplicativo. Depois do download, há pouquíssimos passos para o cadastro e o pagamento. O desbloqueio custa R$ 3,00 mais R$ 0,50 por minuto de viagem. Basta tirar uma foto por meio do aplicativo e pronto, o patinete está liberado. Se optar por ele, o consumidor vai pagar menos para cruzar os 5 quarteirões, não vai ter que aguardar (já que o patinete está bem na sua frente), vai fazer o trajeto em menos tempo e ainda vai ter uma experiência nova e divertida.

Com a ideia centrada na venda do produto, o negócio se torna impossível. No entanto, ao ser transformado em serviço, passa a ser uma excelente oportunidade. E lucrativa! Em um cenário em que um patinete é usado durante cinco minutos, a empresa ganha R$ 5,00 de receita. Com uma locação ocorrendo a cada dez minutos, R$ 45,00 por hora. Dessa forma, o valor de custo de 4 mil reais do patinete pode ser diluído em meras 89 horas. Claro, há outras despesas a serem consideradas, que são operacionais, de marketing, de manutenção etc., mas o importante aqui é a constatação de que a análise feita com um olhar na conveniência e no objetivo de criar facilidade para o usuário possibilita que o negócio tenha alguma viabilidade. O grau de conveniência adicionado com patinete foi eliminar a dependência em esperar a chegada do motorista, seja de Uber ou táxi. O usuário controla a jornada do início ao fim.

Scott Galloway, no livro *Os quatro*, afirma que as empresas inovadoras e vencedoras da nova economia são as concentradas no relacionamento monogâmico de longo prazo com o consumidor. As que querem ter tal proximidade de relacionamento, tal foco na satisfação e na felicidade, dedicam-se a esse consumidor o tempo todo. Focar na conveniência e na experiência é a grande sacada dessas marcas. Elas alteram tudo o que for necessário em seus processos para que estes sejam convenientes dentro da vida do consumidor. As empresas que ficam para trás são arrogantes a ponto de acreditar que o consumidor é que deve se adequar aos canais de atendimento e processos que ela possui. O consumidor do passado tinha poucas opções e tolerava; o superconsumidor digital não tolera mais isso.

Os milhões de pessoas que usam Netflix decidiram migrar para o *streaming* porque perceberam que, por meio dele, eliminariam etapas. Por um bom tempo, para assistir a um filme, elas precisaram sair de casa, ir a uma locadora, procurar vaga de estacionamento, preencher uma ficha para formalizar a locação, voltar para casa e, dias depois, retornar ao estabelecimento para devolver a fita. A locadora tinha inclusive a arrogância de exigir uma tarefa que nada tinha a ver com assistir a um filme: rebobinar. Se não houvesse obediência por parte do consumidor, ele seria penalizado com uma multa; tinha cometido a terrível infração de querer consumir daquele estabelecimento. A Netflix liquidou essa logística e a condensou em 4 passos: download do aplicativo, cadastramento, pagamento com cartão e pronto, é só escolher o filme ou a série.

A conveniência de uso é tão agradável que a pessoa que a experimenta torna-se uma defensora e uma pregadora da marca. São fãs que nunca viram uma propaganda da sua empresa favorita em uma grande mídia. Ainda assim, o *market share* é avassalador. A impressão, inclusive, é de que não há competição de mercado. A explicação para isso é que o usuário se sente respeitado e valorizado. E, por acreditar que a empresa investiu muitos recursos para criar para seus clientes uma experiência inédita e única, conta para amigos e familiares a respeito do que viu. Vira um influenciador a favor daquela empresa. Em termos de comunicação, não estamos mais na era em que uma companhia aposta pesado em mídia para veicular propagandas em que joga confete em cima de si mesma, dizendo coisas como "eu sou a melhor, eu sou a maior, eu ganho mercado e recebo prêmios". Agora, quem fala por ela é o usuário. Num mundo em que o consumidor é hiperinformado e hiperempoderado, a comunicação é mais sutil e o real poder está no *peer-to-peer*, em que uma pessoa influencia quem está ao lado. Algo mais ou menos assim: você está em um churrasco, há uma playlist rolando, você pergunta que coletânea fantástica é aquela e de quem é o pen drive; o dono da casa se aproxima para contar que, na verdade, a lista está no Spotify, e já compartilha o link da playlist para você baixar a ferramenta e testar. Você foi influenciado, e a partir do momento que curtir a experiência, convence mais 3 ou 4 amigos a irem para a plataforma. Sabe quem trabalha no marketing e comercial do Spotify? Eu e você. Você já viu alguém fazer isso com um grande banco? Falar com empolgação no churrasco sobre as experiências fantásticas que teve e tentar dissuadi-lo a migrar para esse banco? Difícil de imaginar. São exatamente as empresas que mais criam burocracias para seus usuários, e depois não entendem por que sofrem ameaças de *fintechs*.

As empresas que ficaram pelo caminho nesse trajeto de transformações profundas erraram ao não compreender a necessidade de encurtar suas jornadas para serem convenientes, e não captaram a chamada assimetria de informação, um fenômeno que aconteceu nos últimos doze anos no mundo dos negócios.

Antes da chegada da internet – e especialmente da mobilidade – retinha a informação quem tinha a oferta. Aquele que vendia o carro entendia mais do tema do que o sujeito que queria comprar o produto. Só que de uns anos para cá o papel se inverteu. Os maiores entendidos não são mais os vendedores, mas os compradores.

Um cliente tão informado assim a respeito do produto que deseja é mais exigente. Se ao entrar na loja ele não tiver uma experiência profundamente conveniente durante a compra, a tendência é que se irrite e se frustre. Porque não quer ser atendido exatamente do mesmo jeito que antes, como se ainda precisasse ser orientado a respeito do que está levando.

O conhecimento está pulverizado. Para conhecer um modelo de carro ou de qualquer outro produto, é só estar *on-line*. O que mudou nesse funil de vendas, que inicia com a busca de algum produto ou serviço e termina com a finalização da compra, é que todo o processo foi se digitalizando ao longo do tempo – e o consumidor, se fortalecendo. Algo como acontece no filme *Matrix*, em que Neo, o personagem de Keanu Reeves, no meio da operação para salvar Morpheus, quer usar um helicóptero e pergunta para Trinity se ela sabe pilotar. A resposta dela é: "Ainda não". A cena seguinte é a personagem fazendo um download de um software, direto para o cérebro, que a habilita instantaneamente a pilotar a aeronave. Pois assim é o consumidor em 2019. São jovens e adultos que acessam a internet e se tornam peritos no produto que pretendem comprar em questão de minutos. Não toleram mais ser tratados durante o atendimento como se fossem desinformados, têm pouca paciência com empresas burocráticas e não admitem lentidão na entrega. Vinte anos atrás, ao sentir um mal-estar, a pessoa tinha como resposta óbvia procurar um médico. Hoje ela pode até não ter cursado Medicina – na verdade, assim como a personagem Trinity em Matrix, "ainda não". Pois em poucos instantes vai listar seus sintomas no buscador e se sentirá empoderada para realizar o diagnóstico e ir em busca dos remédios na farmácia. Certamente, isso está longe de ser recomendável, mas o impacto prático são indivíduos muito mais questionadores e cada vez menos tolerantes com um atendimento superficial.

O momento do superconsumidor também deixou pelo caminho empresas que se recusaram a aceitar que não há mais o cliente frágil de trinta anos atrás, acuado pelas simetrias da oferta e do mercado. Antigamente, para locar um carro na região do aeroporto, por exemplo, o interessado batia na porta de todas as locadoras para perguntar quais modelos estavam disponíveis e quanto cada um custava. A situação o fragilizava. Só que esse tempo ficou para trás. Agora, aplicativos comparadores de preços, sites com avaliações de satisfação escritas por outros usuários e plataformas que oferecem descontos e bônus colocam o consumidor no comando. Muitas empresas foram se acotovelando em vez de entenderem a mudança comportamental. Terminaram extintas ou entrando em guerra com quem pratica o menor preço. A assimetria de informação é um fator determinante na hora de estabelecer o preço de qualquer coisa. Quanto menos o consumidor sabe, mais ele está disposto a pagar, porque simplesmente não consegue ter fator de comparação entre atributos, preços e competição.

A barra de exigência subiu à medida que as pessoas foram se deparando com experiências mais fluidas e convenientes. O simples atendimento ficou insuficiente. O comprador passou a desejar mais, a esperar mais, e o cenário ganhou contornos cada vez mais desafiadores. Estudos apontam que meros cinco anos atrás o consumidor ia entre 4 a 5 vezes em concessionárias antes de efetuar a compra de um carro ou moto. Essa média caiu para menos de 2 vezes. Qual a razão? Antes ele ia em busca de informação. Hoje ele chega lá sabendo tudo sobre o carro: vai em busca daquilo que a internet não oferece, que é a sensação ao dirigir e o conforto para sua família. Essa chance única de contato presencial ficou ainda mais importante. Existe menos espaço para erros, e quem estiver atendendo precisa estar tremendamente preparado. Mas, para o pequeno e médio empresário, a notícia não é ruim. Muito pelo contrário: enquanto os mais tacanhos foram obrigados a deixar o mercado, os dispostos a abraçar esse consumidor empoderado ganharam incontáveis oportunidades. E eu vou lhe contar quais são elas.

CAPÍTULO 2

O segredo está na jornada do seu usuário

Até aqui, você já entendeu que definitivamente não é o fator tecnologia a grande distinção das empresas muito inovadoras, e sim a conveniência. Mas, tão importante quanto compreender o conceito é saber colocá-lo para rodar no seu negócio. E o segredo está na jornada do usuário.

Para começar a conversa a respeito desse assunto, quero contar a experiência que vivi neste ano em uma clínica médica, mas que certamente não pertence a 2019. Participo de muitos eventos na área da saúde. Parece até irônico pensar que, nesses encontros, tem gente debatendo edição de DNA, uso de *drones* para a entrega de remédios e uso de robôs nos corredores de hospitais. Porque, enquanto esses temas estão em alta, há pessoas saindo infelizes de clínicas de cardiologia depois de viverem cenas surreais, como a que eu vivi no dia em que resolvi fazer um check-up. Muitas vezes gostamos de elucubrar sobre o futuro e deixamos de resolver os problemas do presente.

A clínica que escolhi não tinha meios digitais de marcar consulta, então precisei telefonar. Havia horário para o mesmo dia. Lá, fui recebido com um formulário gigantesco. Questionei se havia uma opção mais rápida para preencher aquele monte de perguntas, e a recepcionista informou que era o procedimento padrão nos casos de pacientes em primeira consulta. Depois de minutos preciosos escrevendo à mão no maldito formulário, a funcionária perguntou qual seria a forma de pagamento. Pedi crédito. Ela disse que a clínica não trabalhava com crédito. Então débito. Negado de novo. Como me dou o direito de estar equivocado, quis saber se o lugar já havia superado a fase do cartão e adotado *Bitcoin* ou criptomoeda. O rosto inteiro da mulher retorceu. Ok, ela não fazia ideia do que eu estava falando.

O pagamento podia ser feito com dinheiro. Repeti: "Dinheiro?", genuinamente espantado. Informei à recepcionista que eu não andava por aí com um bolo de notas para pagar conta alguma. Mas, segundo a funcionária, não havia alternativa. A não ser que eu agendasse a consulta em outro momento ou pedisse para alguém levar o valor até mim na clínica. Então, quer dizer, além de dificultar o meu atendimento, que até ali estava parecendo uma corrida com obstáculos, a clínica ainda considerava a possibilidade de ocupar o tempo de algum dos meus amigos ou familiares.

Quando a recepcionista me disse que a terceira alternativa seria pagar com cheque, não me contive. Pedi para que confirmasse a data da minha consulta. Ela respondeu: "3 de maio". Afirmei que quanto ao dia e mês eu estava bastante seguro, minha dúvida era sobre em que ano havia marcado a tal consulta. Sem entender a pergunta, a pessoa respondeu: "3 de maio de 2019, oras". Argumentei: "Em 2019, você entende que isso que está acontecendo não cabe mais?". A sensação era de que, em vez do Uber, eu havia entrado no DeLorean e que ele atingira 80 milhas por hora, ativado seu poderoso capacitor de fluxo e que eu tinha ido parar em 1985, numa viagem ao melhor estilo *De volta para o futuro*.

Após muita conversa, consegui liquidar o pagamento fazendo um DOC. O que foi um alívio: pelo menos, eu tinha conseguido avançar até os anos 1990. Meu medo era que, se esse foi o procedimento logo na recepção, durante a consulta iriam abrir meu peito apenas para medir meus batimentos cardíacos. Pelo menos eu tinha o *smartwatch* para me livrar dessa.

O relato é um quadro do que acontece hoje com a maior parte das empresas que se recusam a utilizar o que já está disponível em inovação para tornar a vida do usuário muito melhor. Certa vez, em uma palestra, um empresário na plateia me perguntou como o conceito de inovação que eu havia acabado de expor poderia funcionar para a cafeteria dele. Então o questionei: "Quando eu entro na sua cafeteria, como eu descubro quais produtos você tem?". Pedindo o cardápio no balcão, foi o que ele me disse. Na mesma hora, supus um cenário: o cliente, sempre que entrava naquela cafeteria, tinha que depender da boa vontade do funcionário que estivesse atendendo e também da disponibilidade de cardápios. Era obrigado a andar de um lado para o outro e perder tempo com um monte de tarefas que interessavam somente à cafeteria.

Melhorar a jornada do usuário passa pela revisão desses passos. A primeira ação que o empresário deve tomar nesse sentido é a elaboração de um diagnóstico para reavaliar processos e descobrir quais são as oportunidades de inovação voltadas para a criação de conveniência. A melhor ferramenta para isso é o *Customer Journey Map*, ou Mapa de Experiência do Usuário, que coloca uma lupa sobre a jornada do cliente, desde o primeiro contato com a empresa até o fechamento do negócio.

E, para falar do mapa, é importante compreender antes o conceito de funil de vendas, formado por um conjunto de etapas e gatilhos:

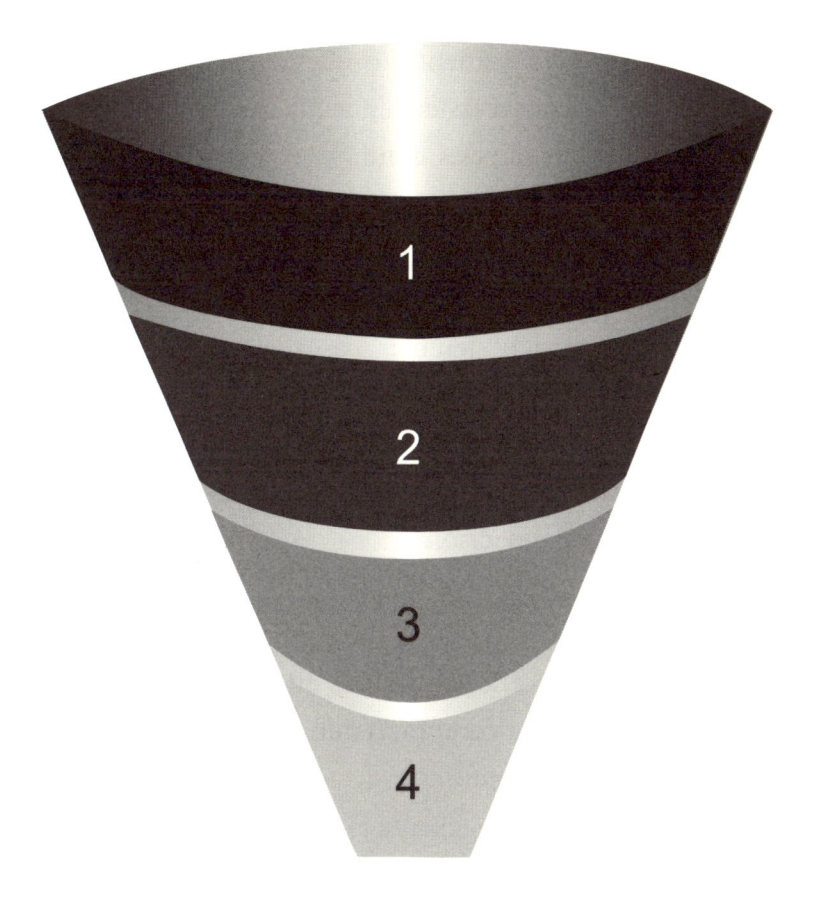

(1) Consciência, (2) Conhecimento, (3) Compra e (4) Entrega, respectivamente, de cima para baixo.

- Fase de consciência: é o topo do funil, a etapa despertada depois que o cliente entra em contato com a empresa. É o momento em que ele descobre que a marca existe. Aqui, é fundamental que ele receba a oferta de conteúdos ricos, seja no site ou nas redes sociais, para o educar.

- Fase de conhecimento: o cliente está em busca de resolver suas necessidades, ainda que não saiba exatamente quais são elas. A função da empresa é ajudá-lo com dicas e técnicas. É uma etapa de informação, em que o consumidor quer saber detalhes do que é oferecido em produtos e serviços. Pode ser que ele busque uma preferência baseada no preço ou nos atributos do produto. Não é a hora de vender uma solução a qualquer custo, mas de amadurecimento da venda, já que o cliente começa aqui a entrar em um processo decisório.
- Fase de compra: o cliente fechou negócio e pode parecer que o trabalho das empresas termina aqui. No entanto, é a camada do funil que está entre a preferência e a compra, o que representa o início de um relacionamento.
- Fase de entrega: o cliente recebe o produto e, se tudo correr bem, ele voltará a comprar ou chegará à fase da indicação, em que se torna um promotor da marca.

As empresas monitoram o funil de vendas normalmente com ferramentas de *Customer Relationship Management* (CRM), que gerenciam o relacionamento com o consumidor. O problema é que, ao enxergar o funil e nada além dele, as empresas tradicionalmente levam em consideração apenas os números. Um raciocínio mais ou menos assim: "Já são 100 mil pessoas que entraram no meu site e, por alguma razão,

20% delas foram tocadas pela campanha que está no ar, buscaram informação na página, descobriram meu produto, entraram em contato e pediram orçamento; por alguma razão, porém uma parte delas comprou e a outra não". E é isso.

Para facilitar o levantamento de dados, as empresas têm buscado digitalizar e automatizar essa rotina. Elas monitoram os números mais de perto pensando em melhorá-los de uma forma até agressiva. A estratégia aqui é vender, vender, vender.

O funil é útil para que se tenha uma estatística referente a cada uma das etapas da venda, mas eu diria que, no Mapa da Experiência do Usuário, o mais importante não são esses dados. Quando o olhar está na inovação, mais interessante do que saber quantas pessoas estão convertendo no negócio é acompanhar na linha do tempo de que maneira isso está acontecendo. Porque mesmo que o índice de conversão da empresa seja alto, não significa que a jornada do usuário está boa.

Um considerável número de empresas desapareceu justamente por terem se acomodado nas altas taxas que registravam no funil de venda. Marcas que, por muito tempo, foram vencedoras no mercado e ostentavam belos indicadores de conversão. Há muitos empresários atrás de resultados digitais parecidos, concentrados demais no aumento de vendas e negligentes com a jornada do usuário. Criá-la exige tombar o funil e encaixá-lo na linha do tempo, acompanhando cada etapa da jornada do usuário. Para exemplificar, imagine a jornada de alguém em busca de um hotel desde a etapa de descoberta de um determinado estabelecimento até o momento de fazer o check-out.

ETAPA	Consciência			Conhecimento			Compra		
CANAL	Recomendação	Site	Telefone/WhatsApp	Comparador de hotéis	Site	Telefone/WhatsApp	Site	Telefone/WhatsApp	Comparador de hotéis
ATIVIDADE DO CLIENTE	Receber recomendação de amigos	Acessar o site do hotel	Ligar para o hotel	Acessar site ou aplicativo que compara hotéis no destino selecionado	Realizar a reserva através do site do hotel	Realizar a reserva através do telefone ou WhatsApp	Realizar a reserva através do site do hotel	Realizar a reserva através do telefone ou WhatsApp	Realizar a reserva através de site ou aplicativo
EXPERIÊNCIA	:)	:l	:(	:)	:l	:l	:l	:l	:)

(cont. da tabela)

ETAPA			Entrega			
CANAL	Check-in	Deslocamento até o quarto	Hospedagem	Room service	Uso das instalações e serviços do hotel	Check-out	Pagamento
ATIVIDADE DO CLIENTE	Aguardar na fila, preencher ficha de cadastro, entregar documentos	Carregar as malas, esperar elevador, encontrar o quarto	Usar as instalações do quarto (cama, chuveiro, secador de cabelo, assistir à TV etc.), acessar a internet	Pedir comida pelo telefone	Usar restaurante do hotel, lavar roupa, utilizar estrutura para eventos, piscina, academia etc.	Aguardar na fila, entregar chave, receber comprovante de consumos extras	Realizar o pagamento e receber nota fiscal
EXPERIÊNCIA	:l	:l	:)	:)	:l	:(| :)

O início é a etapa de consciência, em que o empresário deve investigar as atividades do cliente e os canais pelos quais a empresa foi descoberta. Numa versão simplificada da jornada, o empreendedor pode começar mapeando o trajeto feito pelo cliente, do instante em que toma conhecimento de que a empresa existe até o momento em que a venda é fechada e o consumidor se tornou um agente do marketing, divulgando o produto que amou.

Se você quiser tentar o exercício, é o momento de questionar quais foram os canais utilizados por esse cliente. O que mudou no mundo muito digitalizado de agora é que os canais hoje são múltiplos. Existem em uma quantidade muito maior do que no passado. Antigamente, alguém descobria uma empresa pela fachada do prédio; pela mídia, fosse televisão, rádio ou jornal; por meio de panfletagem; ou por sugestão de um amigo. Com a digitalização, somaram-se aos canais tradicionais o Facebook, o Instagram, o LinkedIn, o YouTube, grupos de WhatsApp e tantos outros. O público está muito disperso.

Pode parecer canais demais. E você pode até estar se perguntando em qual deveria investir mais tempo. A resposta não é simples: é importante estar em todos. Hoje, o público está dividido em pessoas que estão atrás de ofertas de valor no YouTube, em outras que preferem o LinkedIn, e também há o grupo que pesquisa produtos e serviços pelo Instagram. Cada público tem seu canal de preferência. Claro que a empresa pode ter mais força em uma determinada rede social, dependendo do tipo de oferta que está sendo colocada no ar. Se o produto precisa de imagem para sensibilizar, o natural é que a opção seja pelo YouTube ou pelo Instagram. Se a promoção for mais informacional, que demanda apresentação de dados para despertar interesse em clientes, o melhor caminho talvez seja o site da empresa ou o perfil no LinkedIn. Porém, é fundamental ter em mente que a empresa deve estar presente em todos os canais. Além de ter presença em todos esses canais, é fundamental entender que não basta sair replicando uma peça de comunicação. A imagem que funciona no Instagram pode ser irrelevante no Facebook. Cada um desses canais merece uma análise e uma estratégia individual, já que usualmente são públicos com comportamento de descoberta diferentes.

Uma vez listados os canais pelos quais os clientes tomam consciência do negócio, a etapa seguinte é a de consideração. Aqui, o empresário deve levantar todos os meios que o usuário tem disponível para tirar dúvidas a respeito da oferta e dos preços. Como o cliente consegue um orçamento com a empresa? Pelo site? Ou ainda é necessário fazer uma ligação? É possível solicitar por e-mail?

O próximo estágio é o de decisão. E, aqui, o questionamento é se o usuário consegue completar a compra com a empresa, e por meio de quais canais. O canal é a via pela qual o cliente realiza a tarefa de compra, seja no meio digital ou na loja física. Algumas perguntas que o empresário deve fazer nesse estágio são: é possível pagar com o cartão de crédito ou é preciso preencher um formulário? A compra só pode ser concluída por telefone ou apenas pessoalmente, na sede da empresa?

A entrega também está incluída nessa fase. É necessário listar como ela ocorre. O usuário recebe o produto em casa ou precisa passar em um ponto de atendimento para fazer a retirada? Um caminhão vai até a casa dele para levar o produto? Ou o que ele comprou é enviado por e-mail?

E, por fim, a etapa de lealdade e também da indicação. Como e em quais plataformas o usuário expressa a felicidade com a entrega da empresa?

Listadas todas essas etapas, será preciso enumerar as atividades conhecidas como *touchpoints*, ou pontos de contato, que são as interações que o cliente tem antes, durante ou depois da venda. Importante não confundir: site e redes sociais são os canais, e os *touchpoints* são as interações em si e quem participa do processo de descoberta do negócio. Não importa qual o perfil da empresa, o conceito aplicado é o mesmo.

Há companhias que são fornecedoras para outras empresas, e nesses casos talvez quem descubra o produto ou serviço seja o setor de compras. Na etapa de avaliação, pode ser que a responsabilidade de encontrar o negócio seja de algum gestor de área. Mas, na maior parte dos empreendimentos, quem percorre todas as etapas da jornada é mesmo o consumidor, especialmente quando estamos falando de empresas B2C (*Business to Consumer*), ou seja, que vendem para pessoas.

Nesse contexto, os *touchpoints* são as tarefas dadas ao usuário. É tudo aquilo que ele precisa fazer para conseguir finalizar a compra. Na maior parte das vezes, são tarefas indesejadas e que não deveriam ter sido entregues a ele. A culpa é das empresas que escolheram não simplificar a jornada, não cortar etapas, nem usar tecnologia quando necessário. Muitas dessas, inclusive, ficaram pelo caminho. Deixar na mão do cliente o trabalho enfadonho de resolver pequenas burocracias durante a venda e, pior, atividades que eram de responsabilidade da empresa, faz o consumidor ter a sensação de que está perdendo tempo e energia. Ele se aborrece e nunca mais volta. É exatamente o caso do formulário na clínica de cardiologia. Eu não queria ter preenchido aquilo, mas a clínica acha que o tempo dela vale mais do que o meu.

Mas é possível elaborar uma versão mais requintada da jornada do usuário. Para isso, o empresário deve pensar a respeito do nível de experiência do cliente e refazer a jornada com os olhos do consumidor. Andar pela estrada como se fosse o cliente. E há maneiras bem simples de se compreender como está indo essa interação. Dando notas para cada etapa.

É interessante ouvir o usuário e disponibilizar ferramentas para que ele possa se expressar. Ele deixou um *smile* mostrando que ficou encantado com a página do Facebook? E no LinkedIn, ele reagiu da mesma maneira? A página tem as informações necessárias dispostas de maneira clara?

Virão notas altas e baixas, que devem ser estudadas pelo empresário com um olhar crítico. Mais um exemplo: pedidos de orçamento. Para conseguir um, o cliente precisa esperar muito tempo no telefone? A empresa nem sempre é capaz de responder tão rápido por e-mail. Mas se a solicitação de preço for feita pelo site, funciona maravilhosamente bem. A questão é que, desse modo, o empresário compreende como está indo cada pedacinho de interação nos canais que tem e quão boa está a experiência em toda a jornada.

O trabalho deve ser meticuloso, sem pular nenhuma etapa. Digo isso porque um hábito das empresas que quebraram era estudar somente as tarefas cuja execução era de obrigação delas. Na prática, é o gestor pensando apenas nas informações que precisava levantar para responder a um pedido de preço, mas esquecendo do cliente, que teve de realizar um cadastro, esperar aprovação, juntar uma papelada para enviar anexa ao e-mail e esperar mais 48 horas para obter uma resposta. Cada uma dessas etapas importa. Não basta listar que em uma determinada etapa de atendimento existe um formulário. O ideal é que ele não exista, mas, caso não seja possível imediatamente, pelo menos identifique quantos campos o consumidor preenche e quantos você pode eliminar imediatamente. Mate um processo ou formulário por dia e em pouco tempo sua empresa vai se parecer muito mais com as empresas de ponta do que você pode imaginar.

A partir dessa análise, é possível descobrir pontos em que há oportunidades de aprimoramento. A empresa decidida a inovar mergulha em absolutamente cada detalhezinho da interação, da conversa, do diálogo, do relacionamento que está estabelecendo com o consumidor. Ouvir o usuário é imprescindível, porque ele tem muitas das respostas a respeito de onde e como inovar. É ele quem conhece aqueles momentos em que o usuário é jogado de um canal de atendimento para o outro porque isso faz sentido para a empresa, não para ele. Recentemente precisei pedir uma nova via do cartão de crédito e também alterar o endereço. Alternativa oferecida pelo banco: ligar 2 vezes. Eles têm os 2 processos distintos e eu deveria me adequar. O mesmo aconteceu com a empresa de TV por assinatura. Decidi pedir mais um ponto adicional e a troca de endereço. Esse caso foi ainda pior: além de me falarem que era impossível, deram como alternativas viáveis instalar o ponto adicional no endereço em que eu estava, deixando para mover todos os aparelhos ao mesmo tempo, ou me mudar, ligar depois de trinta dias e aí sim pedir o ponto adicional. A crise da TV por assinatura não é a Netflix. A crise da TV por assinatura é a TV por assinatura.

Um exemplo muito prático desse exercício de jornada do usuário é a entrada de alguém em um hotel, uma experiência decrépita, que está defasada em todas as suas etapas. Para compreender como a inovação funciona, é indispensável imaginar o filme que está correndo na cabeça do cliente.

A oportunidade se dá no momento em que esse filme é interrompido. No caso do hóspede cansado depois de uma viagem e que entra na recepção de um hotel, a próxima cena do curta-metragem mental é ele deitado na cama do quarto, descansando. Tudo o que acontece no meio do caminho, entre ele e a cama, simplesmente não deveria ocorrer, e, por isso, abre espaço para inovação.

Ele quer dormir, mas tem que enfrentar a etapa morosa de identificação do hotel (check-in). Esse cliente é um superconsumidor e está acostumado a se identificar com mais rapidez, clicando no botão "entre com o Facebook" ou "entre com o Google". Quando um site apresenta um formulário e o usuário encontra a opção de login social, na maior parte das vezes escolhe essa opção mesmo sabendo que está compartilhando uma quantidade enorme de dados pessoais. O site entrega conveniência e você paga com seus dados. Por isso que, ao receber um formulário gigantesco do hotel, que levará minutos para ser preenchido, ele tem a sensação de estar trabalhando à toa. Afinal, as ferramentas que facilitam a identificação já existem. Porém, o hotel, preguiçoso, empurra para o cliente a tarefa de resolver em vez de implantar alguma solução melhor. Terceiriza um processo seu (identificação) para a última pessoa que deveria lidar com suas burocracias, o seu cliente. O consumidor deveria receber alguma forma de desconto, pois nesse instante ele passou a trabalhar para o estabelecimento – e ainda vai ter que pagar a diária.

O consumidor se aborrece. O hotel jura que não tem como ser diferente. A desculpa é sempre a mesma: tem algum órgão regulatório que demanda aquilo. Adoramos a desculpa rápida que tem algum dedo no governo na impossibilidade de mudança. Porém, o consumidor sabe que hoje, nos aeroportos, passageiros embarcam com agilidade. Depois de finalizarem o check-in *on-line*, entram na área de embarque com um QR Code e, em um segundo, estão dentro do avião após demonstrarem um documento que valide os dados inseridos. A tarefa de identificação é exatamente a mesma, necessária para que uma pessoa consiga acessar um determinado espaço. Por que os hotéis não conseguem implantar uma forma de identificar hóspedes que seja mais rápida? Parte da explicação é o fluxo. O hotel faz o check-in de um hóspede por vez, no máximo com a formação de uma pequena fila. Imagine o cenário só que ao contrário. Ao iniciar o processo de embarque de mais de 200 pessoas, o responsável avisa pelo sistema de som que os formulários já estão disponíveis e que serão disponibilizadas canetas no balcão. Seria uma cena de puro caos e o embarque levaria horas. Cada minuto em que um avião fica em solo é dinheiro perdido pela companhia aérea; ela tem todo o interesse em agilizar o embarque, e é penalizada com esse tempo perdido. No caso do hotel, ele entende que essa é uma questão menor. Basta imprimir formulários e pedir para que as pessoas os preencham. Poucos reclamam. Não vale a pena "gastar" dinheiro com isso, não é prioridade para este ano. É mais fácil comprar papel e toner para a impressora e culpar alguém. O que o hotel comunica quando terceiriza uma tarefa sua e penaliza o tempo do seu consumidor é que não está na sua lista de prioridades eliminar essa etapa, não há urgência. Aí chega o Airbnb e oferece abertura de portas por bluetooth em vários lugares ou envia o código da fechadura eletrônica. A crise do hotel não é o Airbnb, é sua própria preguiça.

É falta de carinho com o tempo valioso do usuário. É visão presa em um mercado em que hotéis fazem *benchmarking* com os concorrentes. Acreditam que o melhor que dá para fazer é empurrar um formulário para o cliente porque é o que o restante do mercado tradicional de hospedagem está fazendo. Uma pesquisa simples a respeito de inovação mostraria que há uma montanha de outras empresas que já resolveram a demora na identificação com soluções mais convenientes ao consumidor. Só que a busca precisa sair do ramo com que a empresa está acostumada, porque a resposta normalmente está fora do seu mercado de atuação. Fazer o comparativo dentro do próprio mercado cria uma falsa e perigosa sensação de conforto ou até excelência.

Parece que o maior desafio de boa parte dos donos de negócio não é descobrir onde o mundo estará nos próximos cinquenta anos, ou quais áreas serão extintas, mas simplesmente entregar para o mercado em que estão inseridos a inovação voltada para conveniência que já existe em outros mercados. É a diferenciação das marcas mais inovadoras, o respeito pelo tempo do usuário e a obsessão em resolver tudo em pouquíssimos passos.

Além disso, há outro grande segredo: um conceito chamado de *decoupling,* o mesmo que desacoplagem. Foi o que o Nubank fez. Em vez de estabelecer um relacionamento bancário completo, a empresa escolheu uma das atividades de um banco e a entregou em pouquíssimos passos. No caso, o cartão de crédito.

No procedimento bancário tradicional, até então, era preciso ir a uma agência para solicitar o cartão. Depois que ele chegava pelos Correios, uma segunda carta era enviada com a senha. Com ela em mãos, o usuário ia atrás de um caixa eletrônico para liberar o cartão. Ou seja, o tempo inteiro o banco empurrando ao usuário a tarefa ingrata que pertencia à instituição, demandando deslocamentos e procedimentos. Com o Nubank, é tudo mais rápido. O usuário recebe um convite ou se cadastra no aplicativo. Preenche os dados, o que não leva mais de um minuto, e pronto, o cartão é enviado à casa dele. Para habilitar, basta tirar uma foto pelo aplicativo. Por isso, o Nubank cresceu tanto. É claro que depois de levar um susto muitos bancos copiaram a jornada e afirmaram que já resolveram a questão. Se era tão óbvio, por que não foram os primeiros a fazer? Cartão de crédito é um produto oferecido por décadas com a jornada praticamente imutável.

Portanto, ao fazer o mapa que define a jornada do usuário, o empresário deve se questionar ao encarar cada uma das etapas para quem interessa a tarefa. Na maior parte das vezes, só interessa para a própria empresa. A competição no mercado é regida pela capacidade das empresas de poupar tempo. Quem consegue, ganha o jogo.

CAPÍTULO 3

Se conveniência é o nome do jogo, precisamos falar sobre a Amazon

Se você chegou até aqui e ainda não está totalmente convencido de que inovar gerando conveniência pode mudar os rumos da sua empresa, este é o capítulo que certamente transformará esse conceito em uma de suas crenças mais sólidas. Para isso, preparei uma série de exemplos para persuadir você, leitor, a acreditar que de fato encurtar caminhos para o consumidor é a coisa mais importante de todo sistema interplanetário no que diz respeito ao seu negócio.

E, para falar de conveniência, temos que falar da empresa que com certeza é a mais conveniente do mundo: a Amazon. Ela focou toda a sua estratégia em criar uma comunidade de pessoas que ficam tão viciadas na facilidade de fazer negócio com a Amazon que se tornam assinantes vitalícios. Hoje, uma parcela muito grande de americanos tem assinatura da Amazon Prime. No total, 51,3% dos lares nos Estados Unidos.

E como funciona? As pessoas pagam uma assinatura anual, recebem os produtos antes das outras e há uma série de prioridades. Então, elas não só preferem a Amazon como pagam uma anuidade que, aliás, não é nada barata, justamente para poder potencializar essa conveniência. Imagine alguém que paga, mesmo que em alguns meses do ano, decidir não comprar nada. A Amazon conseguiu isso, porque descobriu ao longo do tempo que quem é assinante gasta U$ 1.400,00 por ano em compras, enquanto os outros visitantes gastam U$ 600,00, menos da metade. E essa distância está aumentando. Em comparação com o ano anterior, assinantes Prime estão gastando U$ 100,00 a mais, em média, enquanto os não assinantes estão gastando U$ 100,00 a menos. Um dos benefícios que potencializam isso é que não há taxa de entrega para esses assinantes Prime, e isso vale para qualquer pedido, sem necessidade de valor mínimo durante a compra.

A Amazon é a empresa de capital aberto mais valiosa do mundo porque construiu seu império baseada na estratégia de longo prazo de estabelecer um relacionamento muito conveniente para o consumidor final. Uma das primeiras inovações que ela criou foi o *one click purchase*, em que o consumidor cadastra o endereço de onde normalmente faz as compras, assim como o cartão de crédito, e quando bate o olho em um produto desejado, dá apenas um clique e o pedido é feito. Hoje isso é muito comum, há um monte de sites brasileiros com o mesmo sistema, mas, na época em que a Amazon criou a facilidade, foi uma revolução comparada com aquela que exige preenchimento de formulários.

A Amazon evoluiu esse sistema de compra com um só clique para o mundo físico, criando *lockers*, ou armários, que foram distribuídos em vários endereços pelos Estados Unidos, em que as pessoas podem fazer a retirada dos pedidos com uma velocidade muito grande. Esses armários estão presentes dentro de lojas de conveniência, postos de gasolina, e o número de pontos não para de crescer. A facilidade é tanta que, depois de fazer um pedido *on-line* e optar por retirar o produto em um desses pontos de entrega, o consumidor pode receber o item em menos de duas horas. Imagine o quão confortável é uma compra assim. Para o brasileiro, é até difícil imaginar o tamanho da conveniência que a Amazon oferece nos Estados Unidos. Mas, claro, é preciso lembrar que a logística naquele país funciona muito bem.

Esses armários entraram em operação em 2011, em Seattle, e cinco anos mais tarde ainda pareciam futurismo no Brasil. Até que, em 2019, os brasileiros começaram a encontrar iniciativas muito parecidas. Caso da Leroy Merlin, empresa de material de construção e de itens para casa, que possui o mesmo sistema em sua unidade em Curitiba, pioneira nessa facilidade. Por isso, é muito importante que o empresário acompanhe o que acontece lá fora em termos de inovação para possibilitar conveniência. A tecnologia que já está disponível no exterior pode levar um tempo para chegar ao Brasil, já que normalmente depende de questões como infraestrutura e custo para ser implantada aqui. Mas o alerta é para que, em vez de perder tempo se perguntando se a novidade vai pegar ou não, o empreendedor permaneça atento para inovar no seu negócio assim que a tecnologia estiver viável – o que pode acontecer de um ano para o outro.

Assim, uma característica muito importante do empresário brasileiro é conseguir antecipar parte desse futuro que está acontecendo no exterior e entender como tropicalizá-lo, principalmente no que diz respeito ao *timing* cultural e de custo. Em outras palavras, quando e qual a melhor forma de trazer a novidade para o Brasil?

É por isso que a Amazon já está, há um certo tempo, fazendo testes com *drones*. A empresa aposta que existirão verdadeiros corredores de *drones* pela cidade, fazendo entregas de comida ou de itens, tudo pedido *on-line*. Mais uma vez, a ideia é criar um modal para o produto chegar ao consumidor ainda mais convenientemente, mais rápido do que o transporte terrestre. Aliás, também é pensando em facilidade que a empresa investiu em voz, para que os clientes nem precisem abrir um aplicativo ou um site para poder solicitar um pedido.

Toda a estratégia em torno da Alexa, assistente virtual da Amazon, e também da Siri, que é a da Apple, foi pensada para que as pessoas usem uma das coisas mais instintivas que o ser humano tem: a voz. Perceba que quando você está digitando uma mensagem no WhatsApp, como "Eu vou me atrasar", você está vocalizando a mensagem no seu cérebro. E o que essas empresas estão tentando fazer é encontrar maneiras de prever o que você quer fazer, proporcionar uma interação mais fluida para o usuário e, no final das contas, não criar mais problemas para ele. O ideal é que o *smartphone* não seja usado; ele é o modem que nosso cérebro não possui, e a busca dessas empresas é estabelecer conexões diretas com nossos desejos e impulsos.

Então, a Amazon começou a fazer um piloto na cidade de Nova York de entregas preditivas. Para isso, monitorava os sinais de um determinado bairro. Se, por exemplo, 4 pessoas estavam no domingo à noite procurando na internet por televisão de tela plana, a Amazon detectava os sinais e criava uma estatística. Se fosse consistente o bastante e apontasse que, algum daqueles consumidores provavelmente acordaria na segunda-feira e concluiria o pedido, a empresa despachava uma televisão para aquele bairro, ainda que não soubesse quem exatamente entre aquelas 4 pessoas iria fechar a compra.

Assim que um dos consumidores daquele bairro monitorados pela Amazon fechasse a compra da televisão, o entregador, em questão de minutos, batia na porta com a entrega do aparelho. Imagina o susto do usuário que participou desse projeto piloto quando ele concluiu um pedido e, numa questão de minutos, recebeu o que havia comprado?

A tentativa aqui é entender qual seria o comportamento do consumidor final. Outro exemplo foi a direção para onde a Amazon caminhou nessa onda da conveniência, concretizando a entrega de pedidos em porta-malas de carros de usuários. Como isso funciona? A Amazon já possui 5 montadoras parceiras nos Estados Unidos para que a empresa possa ter acesso ao porta-malas do carro do cliente, que pode ser liberado eletronicamente. Nesse caso, assim que o dono do carro faz um pedido, em vez de entregar em casa, a Amazon coloca o produto no veículo do consumidor. O que quer dizer que, ao sair do trabalho depois de um dia cansativo de reuniões, assim que o cliente chegar ao estacionamento vai encontrar o que comprou dentro do porta-malas. De novo, a Amazon usando a tecnologia como base para potencializar a conveniência.

Não satisfeita, a empresa passou a fazer entregas no interior das residências. Claro, a situação da segurança pública nos Estados Unidos é muito diferente, o que torna a ideia viável. Funciona da seguinte maneira: é gerada uma chave de acesso a uma fechadura eletrônica, e aqui vale citar que a Amazon passou a vender a sua própria fechadura eletrônica. O cliente, então, autoriza uma entrada temporária dentro de sua casa e, quando chega do trabalho, o pedido está no corredor.

A Amazon lançou mais de uma centena de itens para a casa das pessoas muito focada nesse ecossistema. O início foi no passado, com botões que eram fixados na geladeira e conectados ao *Wi-Fi*. Em cada um, era possível cadastrar um pedido. Por exemplo? Cerveja. Assim que o produto estivesse faltando, bastava apertar o botão correspondente que a Amazon fazia a entrega de mais cerveja na casa do cliente. O auge dessa história toda foram os micro-ondas com o sistema de voz da Alexa. Com ele, nem botão era mais necessário. Bastava colocar o produto e falar como deveria ser o preparo. O micro-ondas, então, fazia tudo sozinho.

Aliás, hoje nos Estados Unidos compra-se até comida fresca pela Amazon. Então, vamos supor que um cliente adquiriu um pacote de pipoca de 500 gramas. Se era só essa a compra, o entendimento da Amazon a respeito daquele cliente se limitava a essa informação. Mas a partir do momento que ela oferece um micro-ondas que é fácil de ser usado, muito conveniente, a relação com o consumidor alcança outro nível. A inteligência artificial irá deduzir que aquela pessoa que colocou pipoca para estourar e falou as palavras "Alexa, prepare um copo médio de pipoca neste micro-ondas" comprou a pipoca *on-line* na semana passada e já consumiu 200 gramas do total adquirido. E se o procedimento se repetir por 2 ou 3 vezes, a Amazon irá enviar um aviso ao celular do cliente quando estiver acabando a pipoca, porque ela sabe antes dele a situação do estoque de comida dentro de casa.

Ou seja, não é preciso mais nem pensar naquilo que está faltando. A Amazon se adianta e faz isso pelo consumidor. Nós estamos falando cada vez mais de empresas que têm um relacionamento com caráter quase preditivo do comportamento do usuário para que, quando ele se der conta de que precisa de algo, elas já estejam plenamente preparadas para atender a essa demanda.

A Amazon também está focada em uma política facilitada de devolução de produto. Se alguém comprou algo de que não gostou, sendo assinante do Prime, consegue fazer o retorno sem custo adicional. Basta imprimir a etiqueta dos Correios enviada pela Amazon e despachar a mercadoria. O valor é estornado e não há necessidade nem de explicar o porquê da devolução. Há ainda um sistema chamado *Wardrobe*, em que os pedidos são de itens como roupa. O cliente pode solicitar algumas peças, também calçados, e tudo é entregue para uso temporário. Assim, o consumidor prova o que pediu e a Amazon cobra apenas as peças com que ele decidiu ficar. O resto é devolvido.

Outro ponto alto dessa trajetória de inovação é o lançamento da Amazon Go, a loja toda focada no uso de câmeras no teto em que usuário é o carrinho, na qual entra com um QR Code gerado pelo aplicativo da Amazon, que registra a entrada (semelhante ao procedimento de embarque em um avião), apanha itens que o sistema de câmera do local reconhece e, para pagar, basta sair da loja. Não há funcionários, a não ser o sistema de câmeras, que identifica quem é o usuário e quais itens ele pegou. Como ele é cadastrado da empresa, as compras vão direto para o cartão do crédito. O mesmo foi feito com a loja de livros. Quando alguém pisa em uma loja física de livros da Amazon, recebe descontos por fazer autoatendimento, e há desenhos nas prateleiras indicando produtos relacionados para que a experiência de autoconsumo seja o mais parecida possível com a experiência *on-line*.

Para poder colocar todas essas estratégias de pé, a empresa fez a aquisição da Whole Foods, uma rede de supermercados que comercializa produtos frescos e orgânicos, muito conhecida nos Estados Unidos. Nesses locais, foram instalados armários para retirada de pedidos e máquinas de venda com itens populares da Amazon, para que as lojas de orgânicos sejam lugares em que as pessoas comem bem, são atendidas rapidamente, podem retirar produtos da Amazon e comprar outros itens, se quiserem. Com isso, cria-se um ecossistema de facilidades em torno dos indivíduos que o deixa quase viciados nessas conveniências. É por isso que a empresa está crescendo tanto, inclusive engolindo o varejo nos Estados Unidos e em cada vez mais países.

Nenhuma ponta é esquecida, todas são conectadas. Como a Amazon não vende todos os produtos, coloca oferta e demanda em contato com fornecedores locais. Nesses casos, as compras são empacotadas e endereçadas ao consumidor pela empresa. Mas saíram de um comércio da própria cidade, em que o lojista se cadastrou no site da Amazon para ter acesso a todo esse público alcançado pela marca. Isso é vantajoso para o pequeno empresário, já que, se tivesse um site próprio, não conseguiria um montante significativo de vendas, e a Amazon se torna capaz de realizar entregas muito ágeis, potencializando todo o ecossistema.

Por um bom tempo, a Amazon sacrificou margem para fazer esses investimentos e não se tornou lucrativa rapidamente. Mas esse relacionamento com tamanha inovação e foco na experiência do usuário criou uma legião de fãs que sequer tem a informação de quem são os concorrentes dela. Hoje, é a empresa de capital aberto mais valiosa do mundo porque construiu seu império baseada na estratégia de longo prazo de relações muito convenientes para o consumidor final. Uma lição muito importante para quem está fazendo um negócio hoje.

CAPÍTULO 4

O impacto das lojas que vendem conveniência

Quando você olha em retrospectiva, analisando o contexto de anos atrás – época do auge da classe média, em que o Brasil viveu a explosão de venda de carros e com pessoas tendo acesso a crédito barato, não precisa ser um estudioso para chegar à conclusão de que a infraestrutura não acompanhou o crescimento na mesma velocidade. Enquanto essa parte da população alcançava o poder de compra, o reflexo negativo crescia na mesma proporção. Mais carros na rua tornaram o trânsito infernal em grande parte das cidades brasileiras.

Todo mundo passou a demorar mais para ir ao trabalho e para voltar para casa, e poupar tempo virou objeto de desejo. Se alguma loja fosse capaz de vender economia de horas, com certeza enriqueceria rapidamente, ainda que cobrasse um valor absurdo pelo produto.

Na época, um setor do comércio percebeu que, ok, não era possível engarrafar tempo poupado, mas oferecer facilidade, sim. Aliás, foi daí que tirei o termo conveniência. Das lojas de posto de gasolina.

Uma das experiências que aterrorizavam quem saía tarde do trabalho, cansado, doido para encontrar a família e descansar, era a de ir ao supermercado. Afinal, supermercados já tinham se tornado grandes demais e não permitiam mais uma passada rápida. O processo de fazer compras havia virado uma verdadeira sequência de burocracias. Pegar o ticket para estacionar, procurar vaga, parar o carro longe da porta do supermercado, atravessar corredores gigantescos e confusos, enfrentar fila para fazer o pagamento.

Foi aí que os postos de gasolina se deram conta de que havia outra forma de lucrar usando o ativo mais importante que tinham, que era a localização dos empreendimentos. No geral, postos tinham que estar em um ponto da cidade fácil de ser acessado pelos usuários, e é provável que seja assim até hoje. A diferença é que a característica poderia ser uma vantagem não só para a venda de combustíveis, mas para resolver outros problemas do motorista além do abastecimento do tanque do carro. A queda do uso do petróleo era uma possibilidade, causada em algum momento pela tecnologia. Por isso, os donos de postos resolveram ampliar a atuação e abrir as chamadas lojas de conveniência. A ideia era de que as pessoas, ao retornar do trabalho, encontrassem os produtos com os quais estavam mais acostumadas, como comida e bebida, só que estacionando e saindo muito rápido.

O sucesso foi tanto que abastecer o carro pode virar no longo prazo uma atividade secundária, especialmente com a crescente eletrificação dos automóveis. Interessante notar que nos EUA, nas cidades onde a Tesla tem maior penetração, grande parte dos pontos de carga rápida para seus carros elétricos estão em *outlets*. Por aqui, o varejo invadiu os postos de gasolina; por lá, os carregadores elétricos foram invadir o varejo. O ponto em comum nos 2 casos é uma fusão inequívoca de atividades que demandam tempo para estacionar. Os postos começaram a se tornar centros multidisciplinares de solução de problemas de quem ia do trabalho para casa ou vice-versa. E o que estava à venda não eram refrigerantes ou pacotes de biscoito. Quando as pessoas paravam em um lugar desses, não estavam pagando por produtos, mas sim por conveniência.

Isso porque os itens, via de regra, são substancialmente mais caros nos postos do que no varejo tradicional. O sinal que o consumidor estava dando era de que, em uma era de competição extrema, uma das maneiras de recuperar a margem dos negócios seria ajudar o usuário a economizar tempo. A pessoa preferia pagar mais em algum item, desde que, com a parada no posto, ganhasse mais tempo e, assim, fizesse mais do que achou que daria conta naquelas 24 horas. Mesmo que inconscientemente, nosso cérebro faz com muita velocidade essa avaliação do custo-benefício da troca do dinheiro pelo tempo.

As lojas de conveniência são um negócio até hoje. Inclusive, além de supermercados, também já funcionam como padarias.

O desdobramento desse conceito foi o que a Uber fez com o táxi e o que os patinetes agora estão fazendo com a Uber. A economia de tempo influencia as pessoas a andarem em novos modais de aplicativos porque elas estão cada vez menos inclinadas a usar seus carros e a enfrentar o trânsito lento. Parte da popularidade dos aplicativos de transporte se deve à devolução de tempo – como motoristas, estamos desempenhando uma tarefa de operador de máquina; como passageiros, podemos estudar, descansar ou relaxar.

Atenta a isso, a Uber percebeu que poderia continuar atrativa se usasse um recurso em que o próprio carro seria um lugar para que as pessoas pudessem resolver problemas a caminho de casa. Nos Estados Unidos, uma startup chamada Cargo colocou no banco da frente de carros da Uber alguns itens que a maioria das pessoas compraria em uma loja de conveniência. A transação ocorria dentro do próprio carro e o indivíduo que estava voltando do trabalho, cansado, não precisava nem parar para fazer uma compra. A startup foi muito bem-sucedida no programa piloto, que envolveu

20 mil motoristas de Uber. A receita de todos eles cresceu expressivamente, já que, além de motoristas, eram agora representantes de venda.

A Cargo está vindo para o Brasil depois de receber um investimento importante nos Estados Unidos. O interessante é que esse movimento poderia ser uma ameaça para os *players* de loja de conveniência. Mas a vinda da Cargo será justamente com a marca líder em lojas de conveniência em postos de gasolina. A empresa poderia ser ameaçada por esse movimento, mas, em vez disso, decidiu inovar após notar as mudanças tecnológica e comportamental. Está se adequando, porque percebeu que aqueles que estiverem no caminho do usuário e forem capazes de resolver os problemas dele sem tirá-lo da trajetória conseguirão ganhar mercado. Se no passado, para abrir um ponto de venda no varejo, era necessário investimento com terrenos e edificações, atualmente é possível "inaugurar" mais de 600 mil pontos de venda com esse modelo, pois esse é o número estimado de motoristas de Uber no Brasil. Apenas um olhar muito atento e focado em se posicionar onde o consumidor já está permite criar um modelo de negócio como esse.

Outro caso que merece ser olhado com atenção por ter foco total na conveniência é o da Domino's, pizzaria que não para de crescer mundo afora. Ela assumiu o desafio de criar o *zero click order*, em que para pedir uma pizza não é necessário clicar em aplicativo nenhum, nem dar qualquer comando de voz.

Então, como é que o usuário pede a pizza?

A empresa criou um aplicativo que mostra o sabor que o cliente geralmente pede, o endereço em que as entregas sempre ocorrem e o cartão de crédito cadastrado. Um timer na tela conta 10 segundos. Se nesse tempo, não houver qualquer ação, o pedido é feito automaticamente.

A lição que fica para o empresário? Usar esse domínio da criatividade para entender de que forma é possível ajudar as pessoas a pouparem tempo, inclusive nas compras.

Aliás, quando o assunto é compra, a beleza de fazer isso *on-line* é poder acessar incontáveis itens. Porém, se há algo que a internet nunca poderá proporcionar ao usuário, é um provador de roupas. Ele não tem como saber, comprando *on-line*, se um tênis irá apertar o pé ou não. Nesse contexto, o empresário ter a inteligência de mesclar os pontos fortes da tecnologia com o que ela deixa a desejar é a grande sabedoria na hora de tentar ser inovador. Foi o que a Nike fez, ao lançar no final de 2018 uma *flagship store* na cidade de Nova York. A venda acontece com a ajuda de um aplicativo com GPS, bluetooth e beacon, que são tecnologias de georreferenciamento usadas para apontar o caminho do consumidor quando ele está perto da loja.

Se enquanto navega em sites, um cliente demonstrar interesse por 2 ou 3 modelos de tênis e resolver ir a uma loja física tradicional para experimentá-los, terá que vencer etapas indesejadas. Entre elas, encontrar um atendente disponível, procurar o modelo específico que viu na internet, andar por setores esportivos e casuais, tudo isso para, no final, talvez não achar o que queria. A Nike criou um modo de facilitar esse atendimento.

A caminho da loja *flagship*, o consumidor entra no site e clica em 3 modelos de tênis que o interessaram. A informação do que ele selecionou e a sua localização, são enviadas por meio do aplicativo de geolocalização. Dentro da loja, há armários parecidos com os da Amazon, em que as portas possuem pequenas telas digitais com nomes de pessoas. Assim que o cliente chega, localiza o seu nome e, ao abrir o armário, encontra os modelos que o interessaram *on-line*.

A porta do armário é aberta com o celular. O cliente pode experimentar os pares e testá-los, ou ainda caminhar um pouco depois de ter ajustado os modos de iluminação para sentir como é andar com o tênis à noite e também de dia. Se das 3 caixas, o usuário devolver 2 para o armário, será cobrada apenas a que não retornou. A cobrança cai direto no cartão de crédito já cadastrado no aplicativo. Ele não precisa de mais nada, nem falar com atendente nenhum. É só pegar o par de tênis e voltar para casa, se assim preferir.

Pode ser que o atendimento pareça impessoal e frio. Mas não é. O motivo é o que a Nike fez com a loja *flagship*. São vários andares para serem explorados. Segundo a própria marca, o local é um ponto de promoção da marca, inclusive com um minimuseu que conta a história da empresa. O cliente também tem a chance de customizar o seu tênis. Isso faz com que a barra de exigência suba, reduzindo a paciência do usuário para a burocracia das outras empresas que, por não inovarem com foco na conveniência, estão ficando para trás.

Ao criar experiências fluidas, você acaba oferecendo capacidade de atendimento muito veloz para os que querem encerrar a compra de uma vez, ao mesmo tempo que contribui para que sobre tempo àqueles que desejam um atendimento mais personalizado e aos que têm a intenção de viver a experiência com um pouco mais de contato humano. Essas empresas oferecem um serviço muito mais agradável aos consumidores.

Exemplo disso é a Capital One, banco americano cuja agência não se parece com uma. Lembra muito mais um café ou um *coworking*, com um espaço semelhante a uma cafeteria, outro com mesas para as pessoas trabalharem, oferecendo também internet rápida e salas de reunião. O lema da Capital One explica essa reorganização da agência bancária: "Nós precisamos nos encaixar na vida do cliente, nunca o contrário". É um mix de negócios que se completam por estarem mais próximos da rotina desse consumidor. Afinal, é uma agência em que será possível resolver problemas sem uma experiência tão segmentada. Ir até uma agência bancária é algo que causa calafrios e nos tira da rotina. Ir até uma cafeteria é muito mais rotineiro, e se ao tomar café der para falar com o gerente do banco, ainda melhor.

E aqui cabe também o caso da Carvana, empresa que se autodenomina uma *vending machine*, aquelas máquinas em que você coloca uma moeda para comprar uma lata de refrigerante ou uma água. A Carvana fez isso, só que com carros.

Em 2019, se você decidir que precisa comprar um carro, vai acabar indo a múltiplas concessionárias. Você já escolheu a categoria de carro, a faixa de preço, pesquisou na internet as informações, mas para efetuar a compra não tem jeito, precisa ir até 1, 2, 3 concessionárias, porque elas estão separadas por silos de fabricantes. A Carvana decidiu adotar um modelo radicalmente diferente: uma torre na qual é possível encontrar carros novos da grande maioria das marcas. E se uma marca não quiser estar na Carvana, por insistir em se manter encastelada na sua concessionária? É ela que perde, porque o consumidor está procurando cada vez mais a Carvana.

Na loja, o cliente também seleciona, por meio de uma interface, o carro que quer testar. Para fazer o *test drive*, uma esteira vai até lá e traz o carro escolhido, o que pode ser feito com todas as marcas disponíveis. Tudo no mesmo local. Há um *concierge* para auxiliar e tirar dúvidas, e ainda um totem de atendimento para o usuário fechar a compra e sair da loja dirigindo o carro novo, já com seguro e financiamento feitos. A Carvana também faz a entrega do carro na residência do consumidor, para que ele faça o *test drive*. O modelo chama muito a atenção porque é antagonista ao que os fabricantes estão seguindo.

A tendência é que, mais e mais, produtos de menor valor agregado sejam direcionados para plataformas que ajudam a poupar o tempo do usuário final. Só marcas de grife, tradicionais, com um peso imenso na história e no legado, é que vão conseguir manter de pé lojas individuais. A pessoa que está indo comprar um Macbook ou um iPhone quer adquirir o produto em uma loja da Apple. Assim como ninguém quer comprar no varejo uma aliança da Tiffany numa loja genérica. O consumidor quer ter aquela experiência. Então, é importante para o empresário entender se ele precisa criar uma experiência de mais alto nível ou se o produto dele deve estar no *marketplace* de conveniência.

Pelo mesmo motivo é que nós vemos essa revolução também nos meios de pagamento, com carteiras virtuais. As pessoas deixaram de carregar dinheiro, já que notas e moedas se tornaram inconvenientes. Elas geravam uma etapa adicional, a de ter que sacar em uma agência ou caixa eletrônico. Com cartão de crédito, esse deslocamento passou a ser desnecessário. A evolução seguiu e agora temos a virtualização dos cartões com Samsung Pay e Apple Pay, eliminando a tarefa de inserir o cartão, digitar uma senha e guardar o cartão novamente.

Tudo caminha para a redução de etapas de interação entre oferta e demanda. Ganha o jogo quem estiver onde o consumidor já está, ou seja, o empresário atento às mudanças comportamentais, preocupado em achar formas de adaptar o negócio aos novos tempos. Os inovadores são os que mudam tudo o que for necessário para que a empresa caiba dentro do que for melhor para o cliente, e não o contrário. Os que tentam inserir hábitos na vida do cliente são os que ficam pelo caminho. Aqueles que querem convencer o consumidor de que as etapas para que ele possa consumir devem ser respeitadas serão superados. Alguém irá conseguir simplificar essa jornada e, assim, arrancar o mercado da empresa burocrática.

Muito mais do que uma disrupção tecnológica, é uma quebra no modelo de atendimento. A comparação que ilustra isso é o crescimento exponencial do YouTube e de outras plataformas de *streaming* diante da TV aberta.

A televisão sempre teve problemas. Entre eles, pouquíssimo conteúdo. Assinantes de TV a cabo também não eram poupados de obstáculos, doutrinados a sentar em um ponto da casa em que os canais estavam instalados, o que impõe uma limitação física. Algo como "queria assistir no meu quarto, mas não posso porque só tem televisão a cabo na sala". Os que quisessem TV a cabo nos 2 cômodos precisavam pagar um ponto adicional e aguardar a instalação. Além disso, os horários da programação fechada são predeterminados. Em alguns casos, um usuário tinha que esperar uma semana para assistir à sua série favorita. Quase como se a empresa estivesse afirmando: "É o meu processo, é do meu jeito".

A quebra acontece porque as plataformas que surgiram se beneficiaram do hardware que a pessoa já tinha e alavancaram recursos já existentes para passar *streaming*. O usuário começou a ver TV no notebook, no tablet e no *smartphone* com banda larga, que também já tinha em casa, para assistir na hora que quisesse, o que quisesse, em qualquer lugar – não da casa, mas do mundo.

Esse aspecto de acesso 24 horas por dia, 7 dias por semana, em qualquer lugar do mundo, com um *device* que a pessoa já carrega, foi o que causou a disrupção. A TV até agora não sacou esse modelo. Até hoje, causa interrupções com propagandas que o usuário não quer. Fica fácil entender por que as pessoas preferem pagar uma mensalidade a consumir conteúdo gratuito – a TV aberta – por ter todas essas facilidades.

Por isso temos esse crescimento do YouTube e vemos youtubers alcançando uma audiência superior a canais de televisão. Não estou dizendo que os influenciadores são mais populares do que atores. A questão nem é essa. O fato é que esses canais no YouTube postam conteúdo do jeito que o consumidor quer ver, com a duração que ele sempre quis.

Ou seja, não é a melhor tecnologia que ganha, mas o modelo de negócio mais conveniente. Por isso, encerro contando a história do que aconteceu com a música.

As pessoas consumiam vinil, só que ele não respeitava alguns aspectos comportamentais. Para ouvir um disco, o indivíduo tinha que estar parado em casa ou no escritório. Também não dava para escolher a faixa que ia ouvir. Era muito difícil pular música no vinil sem causar danos ao material. Além disso, o aparelho de tocar vinil era pesado e grande, então não respeitava o usuário. Foi ficando para trás, principalmente depois do surgimento da fita cassete.

A fita combinava melhor com o crescimento da venda de automóveis nos Estados Unidos e em vários outros países. Ela possibilitava mobilidade, com a chegada dos *walkmans*, e ninguém mais precisava confiar naquilo que a rádio estava tocando. Era possível, inclusive, montar uma coletânea. As pessoas preferiam a fita cassete, mesmo a qualidade do som sendo muito pior – ela era mais conveniente.

A evolução foi o CD, que combinava a leveza e a economia de espaço físico da fita com uma bonificação: o usuário podia pular faixa ou criar ordens randômicas para um álbum. O formato oferecia também qualidade sonora. Tudo isso conquistou o público.

Só que quando parecia que o CD estava plenamente estabilizado, sofre a disrupção do MP3. Mais uma vez, o áudio ficou pior. Mas as pessoas pararam de carregar 10 ou 20 pequenos discos dentro de um estojo para levar centenas de músicas em um HD com dimensões muito pequenas. A ordem parecia estabelecida; afinal, não havia como fazer melhor do que isso.

Quando muitos já apostavam na morte do mercado da música em meados dos anos 1990, com tantos downloads no Napster, com gravadoras quebrando e artistas desesperados, o produto pirata, difícil de ser controlado, sofreu a disrupção da assinatura. E, de novo, o usuário decidiu pagar por um negócio que antes era gratuito. Porém, a mensalidade daria a ele economia de tempo. Surgiram serviços como Spotify e Apple Music, em que a pessoa ouve música sem precisar baixar. E paga por isso. Como na história do assinante Prime da Amazon, paga-se por ter seu tempo respeitado.

Assim como boas geladeiras e bons aparelhos de ar-condicionado possuem um selo de economia de energia elétrica, empresas inovadoras são as que têm selo de economia de energia do consumidor.

Aí observamos em 2018 e vimos o mercado de vinil crescendo 19,2% ao ano. Como explicar isso? É o que chamo de movimento pendular da inovação, fator muito importante, especialmente para pequenos negócios. Se na era do vinil a escassez era de mobilidade, seus pontos mais fortes eram a qualidade sonora e a curadoria. Sim, porque era tão caro comprar um disco que as pessoas tinham poucos exemplares. Era fundamental conhecer bem os artistas para escolher com sabedoria, além de comprar bons álbuns. Hoje consumimos músicas, pulamos faixas antes mesmo que elas acabem; o consumo se tornou efêmero e com qualidade de áudio sofrível. Temos abundância de mobilidade e disponibilidade. De outro lado, escassez de curadoria e qualidade. E, então, surge uma oportunidade de nicho para observar essa demanda: atender a quem quer chegar em casa e ouvir um bom álbum, não uma playlist com gêneros absolutamente desconectados.

A lição prática aqui é a seguinte: além de monitorar grandes tendências de inovação e comportamento do usuário, vale ficar de olho na direção em que as grandes empresas se deslocam. Exatamente na direção oposta surgirá uma oportunidade para outro tipo de inovação. É o que vemos hoje no Brasil com as cooperativas de crédito. Grandes bancos estão fechando agências em pequenos municípios, digitalizando tudo o que for possível e se afastando do cliente. Nesse cenário, as cooperativas têm expressivas taxas de crescimento, com mais agências, mais contato humano e foco no interior.

CAPÍTULO 5

As 7 faces da conveniência

Quando uma empresa reduz o atrito e facilita a negociação para o cliente, a recompensa certamente vem em forma de lucro, lealdade e um exército de fãs divulgadores do produto ou serviço que ela oferece. Existem maneiras poderosas de aproveitar a conveniência ao máximo para que seja possível se diferenciar no mercado. Mais precisamente, há 7 estratégias que listei, apoiado por vários exemplos e estudos de caso que passei anos analisando em livros, estudos e artigos de pesquisadores do assunto.

1. Individualidade

O atributo individualidade talvez seja o que, hoje, representa melhor o superconsumidor: homens e mulheres que não toleram mais ser tratados como massa. Dito isso, tudo aquilo que funcionava antigamente para segmentar clientes, considerando idade, local de trabalho, nível de renda etc., nos dias de hoje não pode ser utilizado com a mesma eficiência. As características do público se tornaram mais difusas – e confusas também. Na trajetória de sucesso de muitas empresas de tecnologia está a obtenção de muito *market share*, mas, ao mesmo tempo, o atendimento prestado é individual.

O *market share* do Google, por exemplo, é extremamente alto. Ainda assim, é uma das empresas mais espetaculares em proporcionar conveniência. O Google está o tempo inteiro tentando entender o usuário para entregar o resultado mais relevante. Não é à toa que é uma companhia obcecada por dados. Oferece aos usuários ferramentas pretensamente gratuitas que, na verdade, são coletoras de informações. Em troca, proporciona conveniência com individualidade e, com isso, faz com que, pela primeira vez, a tecnologia entregue uma escala de Ford T preto, símbolo de padronização e escala industrial do século XX, só que com a personalização individual do artesão. O resultado da busca que você recebe é diferente da minha e o mesmo acontece com a publicidade que o impacta. Quanto mais o Google entende o indivíduo, mais valor gera para ele e para seus anunciantes.

A história de que dados passaram a valer mais do que água ou petróleo só é verdade se o dado se transformar em personalização. As empresas que guardam mais informações são as mais valiosas. São elas que dão o poder de compreender o usuário. Contudo, de nada adianta ter dados armazenados se a empresa não tiver inteligência artificial para traduzir os comportamentos e capacidade de transformar o que descobriu em realidade de experiência.

Há sinais dessa onda de individualidade não apenas no exterior, mas no Brasil também. O movimento das cervejas artesanais foi um exemplo. No passado, poucas marcas da bebida atendiam toda a população. Houve uma inovação com o produto artesanal a partir do instante em que os apreciadores sentiram desejo de expressar individualidade. Ninguém mais que sai para beber e pensa em fazer uma selfie quer aparecer ao lado de um rótulo que é massificado e que o torna minúsculo em um mar de pessoas com gostos idênticos para cerveja. O que o público quer são produtos que sejam capazes de representar as suas necessidades de consumidor. Acredite, quando você está pensando em qual lugar ir fazer o *happy hour*, ou qual rótulo está comprando para o churrasco do final de semana, parte do seu cérebro já está planejando a selfie do Instagram.

Situação parecida é a dos youtubers, que são os produtores de conteúdos da atualidade. Trata-se de pessoas normais que tiraram os telespectadores da era da massificação da televisão, em que as únicas celebridades eram atores de novela e jogadores de futebol. Além disso, há uma nova mídia, que são as redes sociais, e com elas surgiu um exército de influenciadores que expõem um conteúdo que tem exclusividade e personalidade.

Há conveniência quando a demanda das pessoas que querem ser vistas como indivíduos é atendida. E é justamente esse público que tem o poder de viralizar um produto ou serviço do qual goste muito, porque se expressa nas redes sociais e contagia ao compartilhar sua opinião a respeito da experiência que teve. Basta a influência sobre uma pequena comunidade e a notícia se espalha.

As marcas que conseguem entregar individualidade se dão muito bem. Caso da cerveja Guinness, que criou na sua fábrica na Irlanda uma experiência personalizada. Eu fiz a visita. Comprei o ingresso na internet, tudo preenchido com login social, e no local entrei usando um QR Code. Lá dentro, levei um susto ao pedir uma cerveja. A fábrica havia pegado uma foto minha em alguma das minhas redes sociais e reproduziu o meu rosto na espuma, como se estivesse impresso na bebida. É uma estratégia de individualidade muito inteligente. Imagine se alguém que é surpreendido assim não irá sentir um desejo incontrolável de tirar uma foto da bebida e compartilhá-la no Facebook ou no Instagram? A divulgação da vivência vende também a marca como um todo. É um viés comercial que se dá por meio da personalização. Funciona tão bem que estou aqui no meio do livro tentando vender cerveja irlandesa para você.

A história é a mesma com a playlist personalizada do Spotify. O assinante está acostumado a acordar na segunda-feira com uma lista de músicas novas preparada pelo aplicativo exclusivamente para ele. Por meio de inteligência artificial, a empresa reúne informações sobre o perfil de consumo do usuário, com as características das faixas que ele mais escuta, e compara com o de outros que têm um gosto musical parecido. E aí, no início da semana, apresenta uma lista com novidades que estatisticamente há grandes chances de agradar. A lógica desse algoritmo é uma dica muito valiosa sobre como podemos usar isso em nossas empresas.

Os *clusters* hoje são feitos a partir de tarefas, e não mais de características como idade e escolaridade. A massificação não resolve mais o problema do superconsumidor. Não há mais como reunir consumidores e obrigá-los a se adaptar a uma classe de produtos e serviços. As empresas devem fazer exatamente o contrário, que é ajustar tudo o que for necessário para atender a um anseio individual.

2. Fricção

Talvez a fricção seja o atributo que, se não reduzido, cause os impactos mais pesados na fluidez de uma experiência de consumo. Ela é definida por todos os momentos em que o usuário é interrompido no curso de conectar o ponto A com o B, perdendo tempo ao executar uma tarefa imposta pela empresa.

Costumo dizer que o mercado hoje pertence aos que conseguem enxergar que o consumidor busca a mesma fluidez da água; afinal, ele próprio é fluido. Na prática, isso quer dizer *completar o percurso da compra sem ser atrapalhado*. Mas o que acontece é que, no geral, no meio do caminho ele vai sendo parado por pedras colocadas pela própria empresa, gerando a fricção. E assim como a água o faz na natureza, o superconsumidor vai dar um jeito de encontrar um outro caminho até chegar aonde deseja, seja por meio da empresa que joga as pedras ou apesar dela.

A China é um país que tem mostrado preocupação em extinguir de vez a fricção com iniciativas como a corrida para viabilizar pagamentos por meio de leitura facial. Há inovações também por parte dos supermercados chineses, que se tornaram mais ágeis, tirando o atrito da jornada. Neles, as pessoas entram, veem todos os produtos à disposição, fotografam os itens que desejam por meio de um aplicativo que também finaliza o pagamento e, e em cerca de vinte minutos, as compras são entregues ao consumidor. O que esses supermercados entenderam é que dar a tarefa de carregar produtos para o cliente é fricção. Depois de carregar o carrinho, o usuário precisa colocar as compras dentro do porta-malas e levá-las até em casa, um número grande de viagens que, em resumo, é tempo perdido com tarefas que nada têm a ver com a compra. Tudo o que aquele consumidor queria era ver os itens dos quais precisa e, no passo seguinte, tê-los em casa. Foi o que a China fez.

O impacto dos supermercados chineses mais rápidos foi tão significativo que reverberou no mercado imobiliário. As regiões atendidas por esse tipo de loja tiveram uma valorização expressiva. Compreensível, já que as pessoas sempre preferem morar em lugares nas cidades onde a conveniência é maior. A lógica dos preços mais elevados em determinados setores de uma cidade é pela oferta de serviços e atrações que reduzem o tempo de deslocamento.

Ainda na China, também há o caso do aplicativo WeChat, que acabou com a montoeira de telas nos smartphones de lá e que, com isso, atraiu quase 1 bilhão de usuários. Tudo pode ser resolvido por ele: pedir comida, consultar um médico, reservar pacotes de viagem, chamar um táxi, ver postagens de amigos e fazer compras, entre muitas outras coisas. A China até estabeleceu um sistema de *score* social em que as pessoas são avaliadas por seus comportamentos e monitoradas digitalmente, o que impacta na concessão de crédito.

Há ferramentas que facilitam a vida no Ocidente também, porém tudo é mais fragmentado. Se uma pessoa está conversando com alguém no WhatsApp e precisa fazer uma transferência, tem que ir para o aplicativo do banco. O mesmo para chamar um Uber ou para pedir comida. Passamos grande parte do dia no *smartphone*, e, sim, ele é tremendamente conveniente, mas esse *switch* de janelas, em que pulamos de uma tela para outra o dia inteiro, começa a perder sentido porque já virou atrito. A empresa que for capaz de consolidar essas experiências no que já estão chamando de superaplicativos irá ganhar muito mercado.

Tanto é que, mais uma vez, vemos empresas como a Yellow, que oferece uma experiência de bicicletas alugadas, e a Green, de patinetes, fazerem uma fusão. Hoje não importa mais ser a empresa campeã da bicicleta ou do patinete. O objetivo é ser o vencedor da mobilidade urbana, fricção que as duas buscam resolver.

Mesma finalidade, a de eliminar fricção, tem a *libra*, uma moeda que está sendo lançada pelo Facebook. Um consórcio gigantesco promete entregar pagamentos com muita fluidez e entre todos os países. Será possível mandar dinheiro pelo Messenger e pelo WhatsApp, o que engloba um mercado potencial gigantesco justamente em virtude do atrito que o sistema financeiro como um todo traz aos usuários todos os dias. Muitos negócios hoje usam o WhatsApp como CRM ou ferramenta de divulgação de produtos, e em breve será possível enviar o link da oferta e receber o pagamento ainda dentro do aplicativo.

Falta de conveniência normalmente está atrelada a excesso de etapas na jornada do usuário. Tudo o que acontece entre o momento em que o consumidor imagina o problema e a resolução é fricção. Enriquece quem transforma em água as pedras no caminho do consumidor.

3. Delivery

Acredite, esse conceito vai muito além da entrega de comida na sua casa.

O conceito abrange todas as possibilidades de levar às pessoas quaisquer produtos ou serviços dos quais elas precisem. É o negócio estar onde o usuário está, como fez a empresa brasileira chamada James Delivery, criada em Curitiba, pela mente dos sócios Lucas Ceschin, Juliano Hauer, Ivo Roveda e Eduardo Petrelli.

Os sócios compreenderam que o serviço de delivery não podia se resumir a pratos de comida. Por que não oferecer a mesma conveniência da entrega de pizza ao consumidor que está cozinhando em casa e quer pedir uma lata de molho de tomate, o único item da lista de compras que ele esqueceu de pegar no mercado? Ou ao jogador iniciante de tênis que, por ser ruim demais com a raquete, acabou isolando as bolinhas até ficar sem nenhuma, e agora precisa pedir umas novas pelo delivery no clube em que treina? A proposta do James é atender a qualquer tipo de necessidade, como se fosse o mordomo pessoal do usuário.

A empresa também conseguiu aproveitar bem nesse modelo de negócio 2 lados interessantes do mercado. O primeiro é o do varejo com um estoque avançado, ou seja, a loja que já está pronta para vender e que, mesmo estando próxima fisicamente do consumidor, não é procurada por ele, seja porque o cliente não a conhece, seja porque não gosta de visitá-la por odiar o estacionamento. O segundo é a massa de pessoas à procura de oportunidade de trabalho e que está com dificuldades de achar empregos formais no mercado. Elas entram na plataforma do James, se candidatam para fazer entregas e ocupam parte do dia com os *jobs*. É um enorme ganha-ganha, em que todo mundo tem um papel importante nesse relacionamento com o consumidor final. Ao conectar essas duas pontas, o aplicativo aumenta a demanda de negócios que não exploravam o delivery como canal de distribuição e não tinham presença *on-line*. A Amazon cresceu ao oferecer a possibilidade de acessar um mercado gigantesco para pequenos comerciantes. Quando você compra no site, muitas vezes o produto é apenas processado pela Amazon; caso aquele pequeno comerciante tivesse tentado colocar no ar seu próprio *e-commerce*, teria grande dificuldade em atrair tráfego para o site, além de ter que arcar com todo o investimento para operar a plataforma. Mas, acima de tudo, o fator mais importante é a confiança no processo como um todo. Poucos comprariam do site da mercearia da esquina. No entanto, quando ela faz parte de uma plataforma que padroniza e garante a jornada de compra, vemos a conexão destas 3 partes: fornecedor, entregador e consumidor.

A James deu tão certo que expandiu para Balneário Camboriú, em Santa Catarina, depois São Paulo e, por fim, foi adquirida pelo GPA. Atualmente opera em 15 diferentes cidades no Brasil. A onda dos aplicativos de entrega sinaliza que a partir do momento em que se viabiliza uma jornada mais fluida, o usuário é atraído. E, ao começar a experimentar a facilidade, perde em grande medida a vontade de retornar aos jeitos antigos de comprar.

O serviço é uma vantagem competitiva porque quem tem mais contato com o consumidor final é a empresa que faz o delivery. Se antes a pessoa ia até o supermercado e fazia as compras, esse estabelecimento conseguia entender o portfólio de consumo do usuário e seus hábitos de compra, especialmente se havia ações como os cartões de fidelidade. Mas agora, com um entregador simplesmente pegando os produtos, fazendo a compra e indo levá-la até a casa de alguém, o supermercado não tem mais ideia de quem comprou nem dos hábitos do cliente. Perde-se o elo de comunicação.

Assim como no passado o supermercado se tornou mais importante do que as marcas individuais que faziam parte das suas prateleiras, na era da inovação não têm valor as marcas que estão presentes no portfólio de entregas, mas sim a empresa que realiza o delivery. Quem entrega mais conveniência tem mais dados sobre o usuário final e, como consequência, mais relacionamento com ele. E, dessa forma, o delivery mudou o jogo.

Esse conceito pode ser aplicado em qualquer tarefa da jornada do consumidor. É o que acontece na loja da Nike mencionada anteriormente e batizada de *"house of innovation"* na 5ª avenida em Nova York, unidade que a marca elegeu para validar novas tecnologias de atendimento e personalização de produto. Ao pegar um produto em qualquer ponto da loja, o usuário tem inúmeras opções para realizar o pagamento. A experiência que tive ilustra bem o delivery no atendimento. Depois de escolher um produto, um atendente notou que eu olhava ao redor em busca de um caixa tradicional. Quando me perguntou se eu precisava de ajuda para encontrar algo, falei que estava tentando entender em qual andar ficava o caixa. "O caixa vai estar aonde você preferir", foi a sua resposta. Prontamente ele pegou o *smartphone*. Precisei apenas informar meu e-mail para que todos os meus dados de fidelidade fossem exibidos, e com isso ganhei mais um desconto. Bastou passar o cartão no dispositivo acoplado ao *smartphone* do atendente para concluir a compra. Ele então me explicou que todos os colaboradores da loja têm o dispositivo; dessa forma, a jornada do usuário não é interrompida pelo deslocamento até o caixa em um ponto único. A operação fica mais descentralizada e o caixa vai até o cliente, não o contrário. É delivery de pagamento, dentro da loja da Nike.

Outro case interessante é o "Traffic Jam Whopper", do Burger King, pelo qual você pode fazer o pedido enquanto está preso no trânsito. A iniciativa foi testada em um piloto na Cidade do México e os resultados superaram as expectativas. A marca registrou um aumento de 63% nos pedidos de delivery apenas na primeira semana do teste, além de um aumento de 4.400% no número de vezes que o aplicativo foi baixado. Para aumentar ainda mais a conveniência do usuário, a campanha desenvolvida pela agência We Believers criou ações de ativação dentro do aplicativo Waze, muito usado especialmente por usuários que buscam rotas melhores no trânsito caótico das grandes metrópoles. Esse tipo de outdoor virtual é bastante eficaz, pois indica ofertas georreferenciadas, incrementando a chance de conversão. Com o sucesso da experiência no México, o Burger King pretende expandir o modelo para outras cidades, como São Paulo, Los Angeles e Xangai.

4. Acesso

O problema de muitos modelos de negócio é não estar disponível na hora em que o cliente precisa. Um exemplo disso é o sistema bancário, que há muitos anos oferece uma experiência de restrição para o usuário. Uma empresa de Joinville, em Santa Catarina, resolveu o problema criando a experiência inovadora chamada Transfeera. A empresa nasceu a partir da percepção de que limitar o horário de atendimento de bancos gera fricção para várias pessoas e organizações. E não somente restrições em agências físicas, mas também no que diz respeito a transferências bancárias.

Imagine que alguém precisa mandar dinheiro para uma conta em um banco do qual não é correntista. A transação, além de não ser imediatamente liquidada, possui um entrave de horário. Se for feita depois das 22h, é possível que leve mais tempo para ser concretizada. Há ainda a diferença entre DOC e TED, o que quer dizer que se a transferência for de um valor maior, ocorrerá mais rapidamente. Se não, pode levar mais de um dia para cair. Ainda por cima, as taxas cobradas não são nada baratas.

A Transfeera conseguiu encontrar uma solução para tudo isso, ainda que o problema pertença a um mercado profundamente regulado como o financeiro. Criou uma plataforma com contas abertas em todos os bancos para poder liquidar as operações para o cliente com maior velocidade. Ele insere os próprios dados e os de quem vai receber o dinheiro. Ainda que os 2 envolvidos na operação sejam correntistas de bancos distintos, não haverá demora porque a Transfeera realiza a transação pela conta que tem aberta na instituição solicitada pelo usuário. E, por ser uma ação entre contas do mesmo banco, a movimentação é concluída em curto espaço de tempo. Além disso, os custos são reduzidos justamente porque as operações ocorrem o tempo inteiro dentro dos mesmos bancos, evitando o pagamento das taxas altíssimas cobradas em transferências. Se você tem conta no banco A e a outra pessoa no banco B, basta acessar a Transfeera, mesmo que no final de semana, e a transação vai dar certo: ela recebe seu recurso no banco A e depois pega o saldo dela do banco B e manda para seu destinatário.

Como ninguém teve essa ideia antes?

A Transfeera surgiu com tamanho foco na resolução de problemas dos usuários que, no início, as transações eram feitas manualmente. Os próprios empreendedores da startup faziam o trabalho, na mão. Para eles, era mais importante facilitar a vida do usuário do que desenvolver a tecnologia que iria possibilitar a escala. Depois de aportes de investidores-anjo, a empresa se aperfeiçoou e hoje conta com uma plataforma 100% segura. Guilherme Verdasca, CEO da Transfeera, enfatiza que os sócios nunca cogitaram retardar a entrada no mercado por ainda não possuir uma solução totalmente escalável: o trunfo da empresa sempre consistiu no foco no usuário final.

Também quero citar o caso do Banco da Irlanda, que teve um crescimento expressivo simplesmente por ter compreendido que tinha que abrir a agência um pouco mais cedo e fechá-la mais tarde. O tempo de atendimento foi expandido. Mesmo com o horário de atendimento mais amplo do que a concorrência, o banco começava a funcionar quinze minutos antes do horário oficial para receber aqueles que costumavam chegar cinco minutinhos antes de as portas abrirem. O mesmo com o horário de fechamento. E é assim até hoje. O banco não encerra as atividades enquanto houver pessoas chegando e querendo resolver suas demandas.

Uma solução muito interessante de acesso foi a apresentada pela empresa ABRA, que ainda não está no Brasil, mas já funciona nos Estados Unidos e em diversos outros países. É uma espécie de carteira virtual pela qual é possível mandar e receber pagamentos, e as transferências são liquidadas por criptomoedas. Uma pessoa que precisa sacar dinheiro é conectada pelo aplicativo a alguém que tem a necessidade de fazer um depósito, e os usuários podem transferir valores diretamente de suas contas bancárias. A ABRA possui uma série de procedimentos de segurança e até verifica informações como antecedentes criminais e o local onde as pessoas vão se encontrar para ter certeza de que todos que estão usando o aplicativo são confiáveis. Funciona assim: você está em um shopping e precisa sacar dinheiro para o pedágio, mas o caixa eletrônico já encerrou o horário de atendimento. Outra pessoa quer depositar dinheiro e percebeu que só vai conseguir no dia seguinte, pois precisa ir até uma agência bancária (deslocamento e perda de tempo). A ABRA conecta esses 2 usuários como um *match* no Tinder, mesmo sendo estranhos entre si, e permite que o indivíduo com dinheiro em espécie entregue o montante àquele que precisa sacar para o pedágio. No mesmo momento, quem entregou o dinheiro recebe este valor em sua conta, que foi transferido do saldo de quem estava sacando. Quem fez o papel de caixa eletrônico ainda ganha uma bonificação pela conveniência (por volta de 3% da transação). Simplesmente genial. O banco que mais rapidamente alcançou a marca de 500 mil postos de atendimento o fez em 122 anos. A ABRA levou quatro meses para tanto, pois entendeu que era possível transformar um usuário final que carrega dinheiro em um caixa eletrônico.

Uma aplicação fascinante do benefício gerado pela empresa é o envio de dinheiro para pessoas em qualquer ponto do mundo. Você pode mandar um crédito em dólares no aplicativo da ABRA para alguém que recebe esse crédito na Piccadilly Circus, em Londres. A pessoa então busca outro usuário ABRA e saca o dinheiro em libras. É o equivalente a uma transferência internacional, um fechamento de câmbio e um saque, tudo em uma única operação. Uma operação similar dentro do sistema financeiro convencional levaria possivelmente mais de 48 horas para ser finalizada, com inúmeros formulários e taxas envolvidos.

5. Self-service

Self-service é a capacidade do usuário de conseguir realizar a jornada de forma autônoma. Se ele quiser, vai conseguir ter uma experiência sem precisar interagir com atendente nenhum, nem esperar qualquer processo da empresa. Mas isso não quer dizer que necessariamente deva ser esse o único canal disponível para a jornada. Aliás, esse é mais um erro cometido por muitas empresas que acabam automatizando todo o processo. Nem todos os públicos preferem realizar a compra de forma totalmente automática ou digital. E se a empresa ainda por cima não disponibilizar um backup humano para a experiência, no caso de a tecnologia falhar, o cliente fica sem atendimento.

O exemplo mais preciso de self-service é aquilo que as pessoas vivenciam nos aeroportos hoje. O passageiro consegue fazer a compra on-line, realizar o check-in no balcão ou no aplicativo, emitir o cartão de embarque sem ser parado ou interrompido até o instante de sentar na poltrona do avião. As companhias aéreas que ofertam todos esses serviços de forma fluida, com bons aplicativos e interfaces, registram um número reduzido de reclamações.

Mas claro que ter o autoatendimento não é suficiente. Há problemas não programados, imprevistos e dúvidas de usuários que dependem mais de uma equipe bem treinada do que de uma tecnologia infalível.

Além disso, existem usuários mais resistentes a mudanças inovadoras. Por isso, para implantar o self-service com eficiência, a novidade precisa vir acompanhada de incentivos para que o cliente prove os sistemas automatizados. Caso contrário, ele não vai, por conta própria, perder os hábitos antigos e passar a usar o que ainda não conhece tão bem. Pode acontecer o fenômeno da conveniência, só que ao contrário. É mais conveniente para o usuário não mudar do que testar a novidade. Algo parecido com o que as companhias aéreas fizeram no início, em que davam milhas ou uma bagagem a mais para os passageiros que realizavam o check-in *on-line*. Esse aculturamento é fundamental para que a tecnologia disponível não deixe o usuário confuso por não ter outra alternativa de caminho. Todos os públicos importam, inclusive os que possuem dificuldade com tecnologia e sentem mais dificuldade de interagir com sistemas, e por isso devem ser considerados no momento de se estabelecer um serviço de autoatendimento.

No final, o self-service é proporcionar a real experiência *omnichannel*, com múltiplos canais complementares em que o usuário também não sente qualquer fricção entre eles. Por exemplo: pode ser que o consumidor comece a compra no atendimento *on-line*, mas pare em algum momento para concluir o procedimento com um vendedor pessoalmente. Aí, o ideal é que a empresa seja capaz de identificar onde a jornada foi interrompida e de que maneira pode ajudar o cliente dali para frente, sem começar um novo processo, sem qualquer fricção.

Então concluímos que o self-service inovador é o que entrega atendimento 100% automático para quem assim o quiser, mas não exclui outras possibilidades de rota. Um tipo de estratégia que lembra o episódio da série *Black Mirror*, da Netflix, chamado *Bandersnatch*. Nele, o espectador escolhia no *smartphone*, em determinados pontos do roteiro, qual atitude o personagem deveria tomar. O episódio foi tremendamente bem avaliado, o que comprova que autonomia é o que os usuários demandam na era da digitalização dos negócios.

6. Assinatura

Antigamente, quando se falava em assinatura, talvez as primeiras coisas que vinham à mente eram revistas e canais fechados. Mas hoje o cardápio está bem mais abrangente. Maquiagem, comida de cachorro e até lâminas de barbear possuem planos de assinatura. Em São Francisco, nos Estados Unidos, há barracas que vendem comida de rua por meio de pacotes de crédito. Quando adquiridos, dão direito ao assinante gastar com refeições ao longo do mês em *food trucks*. Como normalmente trabalham ou moram ao redor dessa região, as áreas da cidade foram transformadas em verdadeiras praças de alimentação, com barracas umas ao lado das outras, e os usuários fazem o pedido por aplicativo e passam para pegar sua comida já pronta sem ter que aguardar em filas. O valor é descontado do pacote de assinatura. Vantagem para o consumidor, que ganha rapidez e comodidade, e também para o empresário, já que o sistema traz previsibilidade e aumento de receita.

Tudo o que for fácil de antecipar, por ser de consumo recorrente, pode ser transformado em assinatura. É conveniente para o usuário, já que o produto está indo até ele, eliminando a fricção de toda vez ter que fazer um novo pedido e garantindo a comodidade de um planejamento financeiro melhor dos gastos. Afinal, ele já sabe quanto irá gastar naquela categoria de consumo.

No Brasil, há uma onda de assinatura de vinhos parecida com a que vimos no ano passado com as cápsulas de café. São exemplos marcantes porque provam que assinatura não é um modelo restrito a aplicativos ou a serviços de conteúdo. Um empresário pode converter em assinatura qualquer coisa, basta ter a criatividade e o modelo de negócio adequado.

Um plano de assinatura é um potencializador de conveniência, mas cabe um alerta. Ele por si só não resolve todos os problemas de inovação da empresa. Aconteceu com as revistas, que por anos foram o símbolo de assinatura e ficaram pelo caminho com a transformação digital. A perda para o mercado de publicações foi muito expressiva. Portanto, simplesmente ter um plano de assinatura não é sinônimo de sucesso: é preciso combiná-lo com outros fatores que já discutimos ao longo dos capítulos.

7. Curadoria

Trata-se da capacidade de poupar tempo do usuário a partir da organização de informações, conteúdos e ofertas que tragam individualidade. Curadoria é aparelhar o que já existe no mundo e conectar o que foi selecionado com a necessidade particular do consumidor. Está muito atrelada à habilidade de entregar um valor individualizado com base em confiança e expertise.

Há universidades surgindo mundo afora oferecendo mensalidades muito baixas em troca do serviço de elaborar playlists com vídeos relevantes que estão no YouTube, preparadas a partir dos interesses dos usuários. Ou seja, ofertar curadoria não exige nem que o conteúdo seja produzido pelo empreendedor. É um atributo forte o suficiente para fomentar um negócio, especialmente em tempos em que as pessoas têm excesso de ruído e falta de fontes seguras.

Uma loja da Amazon chamada Four Stars existe em alguns pontos dos Estados Unidos e trabalha com um portfólio de produtos que todos os dias sofre alterações. Isso porque só permanecem na loja os itens que receberam avaliação de 4 ou 5 estrelas por parte dos usuários. Quando alguém entra, sabe que irá encontrar apenas aquilo que proporcionou alto grau de satisfação em outros compradores. É um exemplo fantástico de curadoria do varejo. Em vez de colocar na loja um estoque gigantesco e apenas observar os clientes nas compras, perdendo o elo com eles, sem saber se gostaram ou não do que levaram para casa, a Amazon optou pelo caminho inverso, mais focado em curadoria e, portanto, em conveniência. Outro benefício desse modelo é o sistema que recompensa fornecedores que são bem avaliados no melhor estilo 5 estrelas do aplicativo de transporte. Plataformas digitais e avaliações de desempenho estão se tornando sistemas de recompensa e valores.

Um outro exemplo, mas na linha de plataformas, é o AAA, em que eu, Ricardo Amorim (que gentilmente escreveu o prefácio deste livro) e Allan Costa fazemos uma curadoria de conteúdo justamente para que as pessoas em busca de informações sobre inovação, tecnologia e economia – e também de *insights* para provocar transformação nos negócios ou na carreira – possam encontrar tudo o que precisam em um só lugar e com rapidez. Isso poupa o usuário de gastar um número excessivo de horas à procura de referências no assunto. Por meio de um plano de assinatura, nós entregamos o que há de mais relevante e impactante e que exige alguns poucos minutos de consumo de conteúdo por dia. Encontrar essas referências e gastar muito tempo estudando o que há disponível de informação é papel nosso, como empresários focados em tecnologia e inovação. Colocamos na plataforma apenas o que realmente importa, como curadores de um museu que selecionam somente as melhores obras para a exposição em cartaz.

CAPÍTULO 6

Metodologia – o que fazer na prática

A reflexão a respeito da conveniência e da jornada do usuário pode gerar alguma angústia no empresário ao tentar convertê-la em aplicações práticas. Mas há metodologias que têm funcionado em empresas inovadoras e que podem servir a empreendimentos brasileiros de qualquer porte a fim de viabilizar essas transformações no atendimento ao cliente.

A primeira certeza que qualquer empresário deve ter é a de que não existe receita pronta para negócio nenhum. A combinação de metodologias vai ser um trabalho quase autoral, organizada com base nas características específicas da sua empresa. No processo, é importante ter a consciência de que, se necessário, o empreendedor terá que desenvolver métodos e experimentá-los. Digo isso porque é comum pessoas que conhecem uma série de técnicas sentirem que estão cometendo um erro quando decidem ir por um caminho diferente.

Hoje há muita metodologia de qualidade disponível, assim como muitos modismos, que se renovam de tempos em tempos com o único objetivo de vender livros e consultoria. Não adianta embarcar em tudo que aparecer com a etiqueta de "receita do momento", ou em promessas de que o seu problema será resolvido com a aplicação pura de método A ou B. Gestão de negócios ultimamente se assemelha muito ao setor de nutrição e dietas: parece que basta focar em um fator para resolver tudo, e todo ano tem uma nova tendência imperdível e infalível. Um gestor experiente sabe analisar as opções como alguém que olha para uma prateleira. O segredo está em saber usar a técnica certa na hora certa para o desafio certo. Simplificar e usar na dose exata.

Ainda a respeito do cuidado que é preciso ter com o que está na moda, muito se fala de cultura da empresa. O termo já está tão batido que se tornou algo abstrato. Todos acreditam saber do que estão falando, quando a verdade é que ninguém entende exatamente como mudar a cultura de uma organização na prática. Não basta fazer uma bela declaração de propósito e valores. Aliás, propósito ficou até acanhado depois que as empresas decidiram que deviam declarar propósitos massivos transformadores e seus *moonshot thinkings*. Pobre dono da padaria que ainda está tentando entender onde ele se enfia nesse exagero todo. O escritor Safi Bahcall afirma no livro *Loonshots* (aliás, absolutamente genial) que a cultura é consequência da estrutura. É sintoma, não causa. A empresa tem que ter uma estrutura que comporte um ambiente de inovação. De nada adianta só remunerar vendas, o que é muito comum nas empresas. E o sistema de incentivo com remuneração para inovação? Não se trata de premiar apenas boas sugestões de mudança. É um ciclo que se completa, com o início em uma nova ideia e o final sendo a concretização de um jeito novo de se fazer algo e de um resultado melhor e maior.

Ao discorrer sobre estruturas mais inovadoras, Bahcall também afirma que é preciso menos foco nas lideranças e mais horizontalidade. Nos últimos anos, o tópico principal no meio corporativo foi o líder como o grande responsável por puxar a equipe e apontar caminhos. Para desmistificar isso, o autor compara as pessoas com moléculas de água. Não existe pessoa inovadora *per se*, assim como não existe molécula de gelo, nem molécula líquida, muito menos de vapor. Todas elas têm exatamente a mesma formulação. O que muda é temperatura e pressão. No caso das empresas, o que muda é o clima instalado pelos gestores, bem como o sistema de recompensas.

Imagine uma molécula que está na forma de gelo, o que equivale a uma pessoa estagnada na empresa, limitada a seguir procedimentos, desinteressada em dar ideias e em pensar em inovações porque o desejo dela é que nada mude. Para que esse alguém comece a demonstrar alguma movimentação, ou seja, volte a ser água e alcance a agitação natural, é preciso sair do ambiente congelado e se expor a uma temperatura diferente. Isso trará novidade e inovação, e não a molécula Líder, com formação em *coaching*, nem a molécula Palestrante Motivacional. Elas sequer existem. Não há nada além de pressão e temperatura.

Portanto, se o gestor punir novas ideias, a temperatura que irá prevalecer é antagônica à exigida para a cultura da inovação. Por outro lado, se houver incentivo para que as pessoas arrisquem e façam o novo, a temperatura subirá e esse time naturalmente se tornará mais criativo. Isso não significa tolerar a incompetência. A história de cultura do erro nada tem a ver com erros tolos.

Muitas vezes temos dificuldades em compreender essa questão. Fala-se do desejo de tornar os ambientes mais inovadores, contudo não há providências sendo tomadas para dar a autonomia de que as equipes precisam para criar coisas novas, nem para possibilitar a tolerância à tentativa. No geral, funcionários não têm voz. Sentem-se soldados nos locais de trabalho. Falta a compreensão de que os 2 conceitos se chocam. É impossível impor níveis altíssimos de disciplina e ao mesmo tempo criar um negócio moderno. A temperatura tem que ser condizente com o portfólio de inovação, que está ligado ao risco. Na etiqueta de "empresa inovadora" está embutida a atitude mais corajosa de experimentar, o que significa colocar no mercado produtos que vão possivelmente dar errado e, talvez, obter um resultado anual que não seja tão favorável. Para colher os louros de um negócio mais moderno, tem que arriscar mais. É um jogo em que haverá grandes acertos e também fracassos consideráveis. Lembramos dos louros do iPod e do iPhone e rapidamente deixamos de lado o tablet Newton e o computador Lisa. Não se lembra de nada disso? Iniciativas absolutamente fracassadas da Apple. A história é escrita pelos vencedores e isso vale também para produtos.

A empresa Xerox criou um computador pessoal que poderia ter sido um símbolo da transição dos mainframes da IBM para a computação pessoal e de pequenas empresas. Só que na época o lucro da Xerox vinha das máquinas fotocopiadoras, e quando o novo produto foi apresentado ao time comercial, a primeira pergunta que surgiu foi: como iria funcionar o comissionamento? O valor corresponderia a uma fração do que a equipe estava acostumada a receber vendendo os fotocopiadoras. Resultado? Nas visitas aos clientes, representante comercial nenhum citava os computadores pessoais. Insistiam no produto tradicional da empresa, responsável pelos melhores resultados financeiros para os vendedores.

No momento em que a alta gestão da Xerox pediu informações a respeito das vendas do computador, a resposta que ouviram era a de que o mercado não estava interessado pelo produto. O projeto foi abortado e a história nós sabemos como terminou. O computador foi parar no museu dentro da Xerox e uma das pessoas a visitá-lo foi Steve Jobs, que simplesmente não conseguia entender como eles perderam aquele momento em que tecnologia-estrutura-mentalidade estavam tão alinhados. Faltou a mentalidade organizacional.

Não adianta esperar que as pessoas sejam inovadoras se o sistema de incentivo que é estabelecido na empresa não é. A Xerox foi a primeira a lançar o computador com interface gráfica do usuário e mouse, uma coisa totalmente revolucionária no período, só que por causa da estrutura equivocada da organização, que não tinha incentivo à inovação, a marca naufragou.

Retomando o raciocínio de Safi Bahcall em seu livro *Loonshots*, um bom gestor entende que há setores que têm características iguais às de um exército, em que pessoas desempenham tarefas mais metódicas e repetitivas, e outros que parecem ser formados por artistas, porque envolvem mais criação. Manter lideranças excessivamente focadas nos soldados e resistentes à liberdade dos artistas pode levar a empresa ao precipício. O inverso também não funciona, com a imposição de que 100% da equipe seja inovadora, disruptiva e pense fora da caixa, porque o risco se torna muito alto e a entrega é reduzida. O final também seria o colapso. É justamente isso que acredito que está acontecendo com as empresas que instalam repentinamente os escorregadores e adicionam pantufa no *dress code*. Podem estar valorizando excessivamente os artistas.

A Apple só decolou de forma robusta quando conseguiu criar a interface entre exércitos e artistas. Foi uma empresa marcada por um início de muita inventividade; porém, apostou fichas demais no seu poder criativo, o que gerou perdas consideráveis e instabilidade. Ao tentar uma alternativa antagônica ao cenário negativo, errou mais uma vez colocando um CEO mais metódico no lugar de Steve Jobs, que foi afastado da gestão. A decisão caminhou para um outro extremo, de deixar o lado criativo para assumir uma postura mais controladora dos negócios, e não funcionou.

O equilíbrio foi retomado com a volta de Steve Jobs, acompanhado de duas figuras que foram importantes para a guinada da Apple. Uma delas é Tim Cook, atual CEO, que tinha um perfil de operações e era ligado ao lado quantitativo dos negócios. Foi ele o responsável por garantir segurança e estabilidade à empresa. A segunda era Jonathan Ive, um sujeito que entendia de design e, portanto, era muito ligado à inovação. Steve Jobs, um homem obcecado por disrupção, foi obrigado a aprender a lidar com os 2 perfis de trabalho, retomando, assim, a discussão do conceito de empresa ambidestra, que andava esquecido na Apple.

Com essa história, quero dizer que a inovação é um tema em alta, mas o excesso de atenção dado a ele pode gerar problemas. Consegue inovar realmente a empresa que mantém uma estrutura adequada, é boa de operações e, claro, tem boas ideias. Uma coisa complementa a outra. Voltemos mais uma vez ao Spotify, porque me parece uma das empresas que melhor orientou sua estrutura de trabalho para essa mentalidade. O negócio foi muito influenciado pelas metodologias de agilidade, com os chamados *squads*.

Tradicionalmente, há setores ou silos dividindo as empresas em partes, como o marketing, o setor de operações ou o de finanças, e em cada um deles há equipes preocupadas em cuidar somente das suas prioridades. O problema é que esse modelo não combina com as necessidades dos clientes, que, via de regra, não são separadas por setores e, portanto, não podem ser resolvidas por um único departamento da empresa. Se um cliente está precisando de ajuda ou da simplificação em um processo, é possível que a mudança exija um esforço de todos os silos. Porém, se o projeto for majoritariamente de operações, e esse setor for pedir suporte a outros departamentos que não se sentem responsáveis na mesma medida, surgem atritos e o usuário final sempre sai perdendo. É quase como ligar no 0800 de alguma companhia e ser jogado de um ramal para o outro. Ninguém abraçou aquela jornada do usuário e resolveu. A solicitação ficou quicando entre setores.

No modelo dos *squads,* os times são montados de forma multidisciplinar, focados nos objetivos do usuário. Assim como várias empresas atualmente, o Spotify trabalha dessa forma: debruçado nos desejos do cliente. Para um projeto, a empresa visualiza todos os tipos de profissionais que serão necessários para realizá-lo. Em seguida o grupo é estabelecido de forma multidisciplinar e, nele, todas as áreas tomam as decisões juntas. Não há nada mais eficiente quando falamos de inovação do que uma estrutura organizacional focada o tempo inteiro na conveniência e na jornada do consumidor. É diferente de empresas estruturadas para elas mesmas, em que os setores estão concentrados no próprio umbigo.

Ainda no modelo Spotify, há um aspecto transversal chamado *chapters*, ou capítulos, em que há troca de experiências entre os participantes dos *squads* que têm competências similares. Imagine vários times trabalhando na empresa. Um está focado em melhorar a navegação, outro, em aperfeiçoar as sugestões na playlist da semana, e há ainda o time dedicado a tornar mais conveniente o cadastro para assinantes. Os *chapters* ocorrem paralelamente, em que o centro das conversas é a gestão do conhecimento, com troca de sinergias. Por exemplo, se um programador de um dos times descobriu uma nova técnica, pertinente a todos os outros programadores espalhados em diferentes *squads*, os profissionais se encontram em um setor de tecnologia que existe apenas para debater o conhecimento novo adquirido e para que todos aprendam em conjunto. É diferente de criar um feudo dos especialistas em tecnologia, muitas vezes a contragosto por projetos de outros setores.

A vontade de apostar nos profissionais para gerar conhecimento está presente em praticamente todas as empresas inovadoras. Segundo a pesquisa Ace Innovation Survey Report 2019, lançada pela Ace Brasil, os trabalhadores são fonte de inovação para 21,7% das empresas, seguidos pelos clientes, com 20,8%. Os dados mostram que, por vezes, as organizações acreditam que inovar depende de referências externas ou de tecnologia, quando na verdade grande parte das respostas está dentro de casa. Ainda assim, muitas companhias continuam com a postura ultrapassada de não dar voz a seus funcionários.

A paranaense Pormade Portas mudou a gestão de inovação, e hoje incluiu na rotina dos 650 funcionários reuniões diárias junto com os executivos para discutir ideias. As equipes sugerem projetos que possam trazer resultados positivos tanto para os clientes quanto para o próprio ambiente de trabalho. A comercialização de portas para o público final, por exemplo, começou após o lançamento de uma loja virtual sugerida por um dos profissionais. O proprietário da Pormade, Cláudio Zini, apaixonado por disrupção, também criou um prêmio para reconhecer funcionários desobedientes, desde que a transgressão seja cometida com a finalidade de fazer algo melhor dentro da empresa. Para Zini, tudo bem se a tentativa não der certo, porque "inovar é errar sem perder as esperanças". Mas, se der, o autor da novidade recebe uma bonificação. O resultado do projeto apresentado por um da equipe é monitorado por três meses e, a partir de então, o funcionário recebe um bônus de 20% a 50% do que foi alcançado.

Esse é, na minha opinião, um dos mais importantes cases de inovação no Brasil. E pode parecer curioso que ele não tenha qualquer relação com digitalização de produto nem com criação de aplicativos. A Pormade conseguiu mudar a estrutura, pensar em um sistema de incentivo e estimular uma cultura inovadora em cada um que participa dos processos da empresa. Diferentemente da opção de muitas organizações, que preferem montar um núcleo restrito de pensadores especializados e chamá-lo de comitê de inovação. A chance de uma empresa assim gerar algo realmente novo é quase zero. A resposta vem de quem está na ponta, mais perto do cliente e da linha de produção.

É comum o ambiente corporativo manter estruturas em que os funcionários não se sentem motivados a sugerir nada de diferente porque sabem que estão sendo pagos para fazer as coisas sempre do mesmo jeito. Se levantarem a mão e apresentarem uma ideia, podem ser censurados ou punidos. O que é preciso compreender é que dar voz aos funcionários pode mudar o futuro de um negócio. A Pormade, ao oferecer incentivo financeiro a quem propusesse melhorias, passou a contar com um exército de inovadores. Lá dentro, as pessoas estão o tempo todo atentas aos processos, olhando em volta à procura de possibilidades e brechas em que cabem aperfeiçoamentos. Deu acesso ao ganho variável para qualquer colaborador, o que na maior parte das empresas é uma possibilidade disponível apenas para o alto escalão e para o comercial. Deu tão certo que, hoje, de cada 3 portas novas fabricadas no Brasil, uma sai da Pormade, e ela figura constantemente em premiações de melhores empresas para se trabalhar. Cláudio afirma com frequência que a real escassez das empresas é de boas ideias, não de recursos financeiros.

Do ponto de vista de inovação, a parte importante da discussão a respeito de diversidade nas empresas não é a relacionada a raça ou gênero, e sim à diversidade de ideias, com um verdadeiro caldeirão de pensamentos criativos diferentes que instiga questionamentos a respeito de tudo o que está funcionando até então. Lembrando que isso tem pouco a ver com escritórios coloridos, em que há fliperamas, cerveja e *talks* inspiradores. Também não tem ligação com ambientes abertos, no estilo *coworking*. Aliás, já existem pesquisas mostrando que ambientes abertos reduzem a comunicação entre os indivíduos justamente pelo excesso de barulho. Como há muita gente conversando, uma boa parte das pessoas prefere colocar o fone de ouvido e se fechar.

Em relação à estrutura física, o que mais me chamou a atenção foi o jeito com que o LinkedIn organiza as salas da sua sede em São Francisco (EUA). A torre principal do edifício tem andares com propostas diferentes de escritório. Em alguns, há os tradicionais cubículos, enquanto em outros há ambientes mais abertos, com profissionais andando de skate enquanto outros jogam bilhar. Quem trabalha onde? Bom, a decisão é de cada time. Eles escolhem em que andar irão trabalhar. Em vez de embarcar em modismos, o LinkedIn entendeu que era fundamental dar autonomia aos *squads*, já que para alguns o trabalho era mais produtivo com uma rotina de horários e um ambiente que lembrasse um escritório convencional. Aliás, a autonomia dos *squads* é tal que são eles que contratam. O que quer dizer que, quando um time está precisando de mais pessoas, a equipe de RH se envolve para dar suporte, mas a contratação é definida pelo próprio *squad*.

Por isso que no Google há o entendimento de que a principal atividade de qualquer equipe e de qualquer gestor é contratação. O foco está em encontrar talentos e formar equipes que têm o que a empresa chama de *googleness*. Não há uma definição formal, mas a explicação da empresa para a palavra é uma situação hipotética: em uma viagem de trabalho com cinco horas de espera no aeroporto, as pessoas com *googleness* manteriam uma boa conversa entre si, em um momento agradável, e não veriam o tempo passar por gostarem de trabalhar umas com as outras.

Identificados os profissionais com esse perfil, o Google forma equipes e são elas que escolhem como e onde irão *performar* dentro da empresa, e também os métodos mais adequados para o trabalho. Tudo, claro, focado em entrega.

No Brasil, o cenário da inovação ainda carrega contradições. De acordo com o Índice Global de Inovação (IGI), o Brasil é o 66º mais inovador entre 129 países pesquisados, um desempenho longe do que gostaríamos de ver. Por outro lado, há um dado que mostra que os brasileiros estão entre os públicos que mais rapidamente adotam novas tecnologias. Quando a Uber chegou por aqui, foi absorvida em uma velocidade monstruosa, assim como Spotify, Netflix e tantas outras plataformas. Nós, brasileiros, amamos inovação porque apreciamos conveniência, mas a paixão se restringe ao nosso papel de usuários. Por alguma razão, não conseguimos ter o mesmo ritmo quando chega a nossa vez de mudar a nossa rotina e os nossos negócios. Tendemos a ser conservadores. Precisamos desenvolver como gestores a mesma paixão pela inovação que temos como usuários, especialmente para aumentar nossa produtividade. Atualmente, 1 americano gera a mesma riqueza que 4 brasileiros, e essa distância tem aumentado. Claro que acesso à tecnologia e um momento econômico mais positivo serão fundamentais, mas mesmo em tempos de crise vemos empresas com crescimento justamente por conseguirem se descolar da média com uma mentalidade diferenciada.

Por fim, entender que o gestor não representa o público é crucial para que haja inovação. Um gestor que afirma que algo não é pertinente para a empresa pode estar manifestando uma opinião pessoal, que não condiz com a do consumidor final. Esse foi um dos aprendizados mais duros que tive na minha carreira empresarial, quando decidi ser sócio de um restaurante. O meu negócio não deu certo por uma razão muito simples. Eu achava a comida e o conceito espetaculares. Esse foi um dos grandes problemas: eu achava, mas faltou combinar com os russos. O restaurante tinha uma proposta errada, na cidade errada, com a comida errada. Na época não tive a humildade de perceber que a opinião que importava não era a minha. Quando deixamos de lado algumas prioridades, pode ter sido pelo fato de aquele ponto não ser uma prioridade sua; no entanto, ele pode ser fundamental para o usuário final. No exemplo do check-in do hotel, o gestor desse lugar pode não achar algo tão grave entregar uma ficha, porque ele simplesmente não faz check-in no próprio hotel. Sou questionado com alguma frequência sobre como identificar quais são os melhores pontos para inovar. Minha sugestão é que você sempre seja cliente do seu produto e serviço, mas sem usar atalhos: use o mesmo 0800, espere na linha e faça check-in com papel. Certamente vai começar a ficar bem mais claro onde as coisas emperram.

Para que o empresário consiga dirigir com inteligência todos os esforços no negócio, é fundamental entender o público em vez de seguir só o que o gestor diz. Uma ótima estratégia é dar liberdade às equipes para que estejam atentas ao consumidor final e apresentem sugestões de melhoria no atendimento. É a jornada do usuário o grande tesouro de uma empresa.

CAPÍTULO 7

Tecnologia boa é tecnologia invisível

O papel da tecnologia na inovação

Ao longo desses anos estudando e palestrando a respeito de tecnologia, presenciei por diversas vezes pessoas falando sobre o assunto com deslumbramento, quase como se estivessem apaixonadas por um tapete ou um vaso de cerâmica muito caros, comprados para elevar o luxo da decoração de uma casa inteira. A partir disso, desenvolvi uma definição para a palavra tecnologia que afasta o glamour inútil em torno do tema e explica para que ela serve afinal de contas.

Tecnologia é a ferramenta que aproxima o pensamento da realidade.

Em períodos mais remotos da humanidade, a pessoa que tinha que ir de um ponto a outro já sabia o que queria antes mesmo de sair do lugar. A necessidade era se deslocar e, por um tempo, a atividade envolvia muito esforço para caminhar longas distâncias, justamente por não existirem recursos tecnológicos que trouxessem mais facilidade. Mas essa pessoa que era obrigada a andar muito já conhecia bem o seu desejo de chegar ao destino. Sua cabeça já estava lá, só faltava fazer o corpo se mover até esse destino. O que quer dizer que, na jornada do consumidor, ele sempre está pensando no próximo passo.

A tecnologia ajuda a encurtar essa etapa.

Primeiro veio a bicicleta, em seguida, o carro, e desde então, o espaço entre o desejo de fazer algo e a realização prática foi diminuindo cada vez mais. E isso é sinônimo de um bom uso da tecnologia, de aplicá-la para ser uma encurtadora de tempo e de tarefas.

Para isso, é preciso colocar o usuário no centro do palco, onde ele é o protagonista. Mas o que vejo com frequência são os holofotes mirando a tecnologia. A luz, o glamour, as atenções estão em qual tendência vanguardista vai ser usada, como se fosse a aquisição de um carro novo, em vez de estarem iluminando a verdadeira razão de esses recursos terem sido pensados. O que importa não é o carro novo, são as viagens e passeios que ele vai possibilitar. Como se o robô que coloca bolas de sorvete na casquinha fosse o astro do show, e não o consumidor atrás do balcão, aguardando pela sobremesa.

As pessoas preferem falar das disrupções do momento, das *hype curves,* quer dizer, de quais são as próximas ondas tecnológicas, o que está chegando de novo no mercado. A minha impressão é de um excesso de foco. Superficialmente, a tecnologia pode parecer uma solução imediata, o que faz com que alguns comecem a crer que a receita é simples. Basta acoplar esta supertecnologia ao meu negócio e pronto, o problema está resolvido, minha empresa se torna inovadora, tudo muda do dia para a noite. Há uma distância abissal entre esse tipo de crença e a realidade dos negócios.

A verdade é que as principais mudanças em uma empresa voltada aos usuários muitas vezes devem ser culturais e comportamentais, ou até mesmo de atendimento. São alterações mais sutis, que levantam discussões profundas; só que, no geral, as pessoas gostam da sensação de que a tecnologia é algo que se compra na prateleira, que fornecedores especializados irão vender um pacote para magicamente solucionar o problema que for. Tanto é que, nos últimos anos, a inovação esteve muito ligada à ideia de investimentos altíssimos. Se alguém entendia que deveria inovar nos negócios, na mesma hora pensava em orçamento, em valores estratosféricos, porque o entendimento era de que projetos de inovação com certeza iriam demandar muita tecnologia e, portanto, complexidade. Algo parecido acontece com consultoria. Claro que pedir ajuda é fundamental, mas achar que alguém de fora vai trazer respostas mágicas é pura inocência. Se um indivíduo fosse capaz de responder muito rapidamente como transformar o seu ramo de atuação ou a sua empresa, esse seria um sinal de muito temor, porque alguém possivelmente já teria feito isso. Mudanças profundas demandam esforço profundo de reflexão e tempo para encontrar as melhores respostas.

O principal erro é o que eu chamo de mentalidade de engenheiro ou de apaixonado pela tecnologia, e sempre enfatizo que o apelido não é algo pejorativo. Até porque, sou engenheiro e sei como é. Gostamos tanto do tema que costumamos selecionar primeiro a tecnologia para só então escolher um problema onde a encaixar. Só que o caminho correto é o inverso. Temos que entender uma dor do usuário e descobrir como o processo pode ser melhorado. A potencial solução pode envolver, ou não, o uso de tecnologia.

Sempre vejo empresas fazendo propaganda das tecnologias que estão usando. É muito comum na televisão transmitirem comerciais em que um locutor anuncia: "Estamos inovando, converse com o nosso assistente virtual!", ou qualquer coisa parecida. São bancos e operadoras de telefonia divulgando que entraram na Era da Inteligência Artificial. Na minha visão, isso não passa de uma fanfarronice disfarçada de jogada de marketing. Uma empresa que coloca o foco no recurso equivale a um mágico que sobe no palco para falar da cartola. O cliente quer ver o coelho, o truque de mágica sendo feito, está curioso para saber que problema a empresa solucionou e quanto tempo dele será poupado. Não está interessado na cartola.

Por isso, digo que a tecnologia boa é a invisível. As boas soluções são fluidas e o usuário não precisa pensar muito sobre como usá-las porque entende rápido a funcionalidade. É rápido aprender a lidar com elas porque não são muito diferentes das que os clientes já estão acostumados a ver. A diferença é que a versão inovadora é mais elegante, com um design mais interessante e minimalista.

Dessa forma, centrar a propaganda no que é técnico é ver o mágico explicando o truque, mostrando o fundo falso da cartola e o lugar por onde o coelho vai passar. O uso intensivo de tecnologia não é diferenciação. A princípio, pode causar admiração, já que há uma certa distinção pelo acesso. No início, a tecnologia pode ser cara ou difícil de ser encontrada e grandes empresas costumam ter acesso primeiro. Porém, isso está virando *commodity* em uma velocidade cada vez maior. E, com as grandes plataformas de nuvem, hoje está disponível a todos – de startups a indivíduos – o mesmo aparato que antes estava ao alcance somente das grandes organizações. Isso torna a aposta em um diferencial tecnológico em uma estratégia ruim.

A Inteligência Artificial (IA) deve ser um dos assuntos mais comentados do momento. E chama a atenção por ter um caráter fascinante e assustador ao mesmo tempo. Algo parecido com o que aconteceu na Revolução Industrial, com a mecanização e a automação dos braços e das pernas das pessoas. Naquele período, sumiram os exércitos de gente trabalhando nas fábricas em virtude de uma massiva adoção de máquinas.

Com a Inteligência Artificial, o receio é parecido, com o detalhe de que é o cérebro humano que está sendo mecanizado. É possível chegar à automação de cérebros e de condutas humanas se a empresa tiver um kit de dados, comumente chamado de *data lake*, que seja completo o suficiente para abstrair comportamentos. E, para compreender o temor em torno do assunto, voltamos mais uma vez ao que ocorreu na automação industrial, em que a preocupação era com pessoas perdendo sua função e se tornando desocupadas. Foi aí que surgiu o setor de serviços e a economia se deslocou.

A primeira onda da revolução foi a de gente saindo do campo para ir trabalhar nas cidades e nas fábricas. Em um segundo momento, não havia mais emprego na indústria, então os trabalhadores migraram para o setor de serviços. Agora, entramos na terceira onda de desconforto causada pela tecnologia, com a automação dos serviços e a replicação de cérebros. E com uma vantagem espetacular. A atualização desse aprendizado é instantânea.

Imagine que o aprendizado humano é fruto de um depósito analógico. Uma pessoa é treinada gastando muito tempo em cursos e capacitações, e também com a leitura de livros e com a troca de experiências. Quando você passa a usar algoritmos de IA, é possível aprender e aplicar a atualização em escala global, instantaneamente.

Aliás, é por esse motivo que há um senso comum de que a tecnologia está trazendo mais velocidade. Em alguma medida, é verdade. Muitas coisas ficaram mais rápidas. Por outro lado, estamos vivendo algo que Dan Ariely, professor de economia comportamental do MIT, autor best-seller e palestrante, explicou muito bem:

Inteligência Artificial é como sexo na adolescência: todo mundo fala sobre isso, ninguém sabe como fazê-lo, todos acham que os outros estão fazendo e, então, dizem que fazem também.

Ou seja, parece muito mais uma corrida de empresas ansiosas em anunciar que entraram na Era 4.0, na Indústria 4.0, no 4.0 de qualquer coisa, do que negócios preocupados em mudar processos para atender bem ao usuário. Anunciar a aplicação de IA virou o kit fajuto de inovação das organizações modernas. Há iniciativas de *labs*, de fazer *hackathon*, de Corporate Venture com startups, mas no final das contas é muito mais falatório do que resolução de dificuldades práticas dos usuários. Poucas empresas têm usado a IA com sabedoria, para trazer um ganho de fato para o consumidor.

Encerrar o contrato com qualquer organização por meio do telemarketing sempre foi um suplício. Quem nunca se irritou aguardando por um atendimento desse tipo no telefone? Atenta a essa dor do usuário, uma empresa inventou uma solução: um cancelador automático de serviços de assinatura. Trata-se de um robô que recebe os dados cadastrais do usuário e o nome da operadora cujo serviço deve ser cancelado. A máquina liga na empresa e realiza, sozinha, o cancelamento pelo consumidor. Talvez ela espere horas pelo atendimento, também é provável que a operadora derrube a ligação, mas não importa. O robô irá persistir, fazendo todo o processo por voz, até que o cancelamento seja concluído. A solução, por acaso, tem base em Inteligência Artificial. Mas é o benefício que chama mais a atenção. O consumidor não irá gastar tempo nem paciência. Uma máquina o poupará do estresse. E, por acaso, isso foi feito usando IA – para o usuário final, pouco importa.

Outro receio em torno da IA diz respeito à possibilidade de os robôs – sejam os humanoides, com estrutura que lembra o corpo de uma pessoa, sejam os de algoritmos de Inteligência Artificial – substituírem os humanos. É quase uma lenda urbana e também uma das maiores asneiras que alguém pode defender. Para provar isso, gosto de usar o caso do russo Garry Kasparov, o campeão de xadrez conhecido por ser imbatível e que foi derrotado pela primeira vez, nos anos 1990, pelo Deep Blue, um computador da IBM. A notícia assombrou o mundo. Afinal, se o maior campeão de xadrez da história tinha perdido, era porque o apocalipse, em que as máquinas tomariam tudo, estava mais próximo do que imaginávamos.

A onda em torno dessa crença voltou vinte anos mais tarde, quando o algoritmo do Google ganhou no jogo oriental Go. Criado há cerca de 2,5 mil anos na China, o Go, também conhecido como Igo no Japão e Baduk na Coreia, envolve 2 jogadores, munidos de pedras brancas e pretas, que devem colocá-las alternadamente nas interseções de um tabuleiro quadrado com o objetivo de cercar a maior área possível ou as peças do adversário. Ganha quem tiver, no final, a maior soma de interseções totalmente cercadas e pedras tomadas. O AlphaGo, criado pela DeepMind Technologies, filial da Google especializada em Inteligência Artificial com sede em Londres, venceu em 4 partidas o sul-coreano Lee Se-Dol. Foi a primeira vez que um software ganhou de um grande jogador de Go.

As máquinas não irão tomar a humanidade por um motivo simples: a automação e a IA vêm para substituir tarefas, e não pessoas. Seres humanos têm um grau de complexidade e uma vastidão de competências nas quais a tecnologia não está nem remotamente próxima de causar perturbação.

Voltando ao exemplo do enxadrista Kasparov, quando o Deep Blue derrotou o campeão, a máquina estava usando poder computacional para simular jogadas. Por outro lado, era incapaz de mover as peças do xadrez. O computador estava na partida, dava as ordens, mas era uma pessoa que ia até o tabuleiro para concretizar a jogada. O cenário não tem a ver com leituras pessimistas, de uma inversão em que o robô pensa e o humano simplesmente executa, mas sim com a conclusão de que o computador é excepcional na tarefa de prever jogadas de xadrez. E mais nada. Se o prédio em que estava ocorrendo a partida pegasse fogo, Kasparov e a pessoa responsável por movimentar as peças para o Deep Blue iriam acionar uma parte do cérebro humano que responde com percepção de risco. Os humanos também usariam da mobilidade para saírem e se salvarem. O Deep Blue iria derreter no fogo enquanto simulava a próxima jogada. Ou seja, a máquina é excepcional em algo extremamente limitado. A automação está em tarefas, e não em pessoas.

E o mais interessante é que, depois da derrota de Garry Kasparov, surgiu uma modalidade avançada de xadrez reunindo habilidades humanas e de informática. Chamada xadrez cyborg ou xadrez centauro, ela prevê que cada jogador use um programa de computador para explorar os possíveis resultados de movimentos de candidatos. Apesar da assistência, é o humano quem controla e decide o jogo.

A ideia de combinar os 2 é mais um exemplo do bom uso da tecnologia, em que a força bruta de prever possibilidades de jogadas é toda realizada pelo computador, e a estratégia baseada nesses dados é traçada pelo ser humano. Hoje é impossível um computador sozinho derrotar um humano que está jogando com o auxílio de uma máquina, assim como uma pessoa também não consegue ganhar da combinação.

O cenário no mundo do xadrez deixa muito claro que a mentalidade de inovação deve estar ajustada ao uso da tecnologia no campo em que ela funciona muito bem, que é o da resolução de problemas transacionais. Em outras palavras, problemas que casam bem com o *digital*. Ela tem que ser extensivamente aplicada para eliminar burocracias e obstáculos processuais de curto prazo e de baixo valor agregado.

Foi o que aconteceu quando os bancos confiaram em tecnologia para deixar os clientes pagarem boletos, porque entenderam que a transação não gera real valor ao consumidor. Quando o transacional é resolvido, abre-se espaço para os negócios, que é onde o valor real existe. Negócios são analógicos. Pessoas apertam as mãos para fechar acordos e há o olho no olho. Essas relações, sim, têm foco no longo prazo e são de altíssimo valor agregado.

Portanto, o combo de resolver o transacional com tecnologia para sobrar tempo para o analógico é a receita que eu recomendo para que o empresário tenha sucesso na hora de inovar. O educador, filósofo e escritor Mário Sérgio Cortella tem um exemplo genial que resume o conceito que quero transmitir.

De acordo com ele, aquilo que é altamente tecnológico perde sabor. Pense na pizza congelada. É o auge da tecnologia. Dura por meses, é fabricada em escala e feita por robôs industriais com controle de qualidade impecável, o preço é baixo e o preparo é rápido – é só colocar no micro--ondas. Mesmo assim, as pessoas ainda preferem sair de casa para comer pizza feita no forno a lenha, um método absurdamente arcaico, que envolve o uso de lenha jogada em um compartimento de pedra, manuseado por um ser humano que prepara a massa de maneira artesanal. Motivo: nessa experiência, há muito mais valor do que tirar uma caixa de pizza congelada do freezer.

Se fôssemos pontuar a maneira mais inteligente de aplicar tecnologia no mercado de pizzarias, eu diria que o correto seria pensar em eliminar gargalos operacionais e oferecer uma experiência fluida ao usuário, com uma compra mais conveniente. Queremos a pizza artesanal, preferencialmente em um lugar que não aceite apenas cheque e dinheiro.

O valor do dinheiro está naquilo que é escasso. O empresário tem que entender onde está fazendo criação de escassez, e não comoditização. Um fenômeno que traduz esse raciocínio é o do CrossFit, que movimenta atualmente muitos seguidores fiéis. Na prática, as pessoas fazem um esforço físico tremendo num curto espaço de tempo, rolando pneus, subindo em cordas, correndo com pesos amarrados à cintura, em uma rotina que lembra um treinamento militar. A pergunta é: por que o CrossFit se tornou moda somente agora, e não setenta anos atrás? No passado, ninguém pensou nesse modelo de negócio?

A resposta é que, há setenta anos, era abundante o que hoje é escasso. Naquela época, as pessoas precisavam de comida. E, para buscá-la, estavam concentradas em trabalhar na construção de estradas e de cidades. O CrossFit era o dia a dia, em que havia muita gente assentando tijolo, carregando sacos pesados de cimento e removendo mato e árvores do caminho, com altos índices de gasto calórico. O escasso? Descanso e alimentação. Hoje, vivemos uma era em que as pessoas estão engordando e os índices de obesidade, crescendo, porque a ingestão de calorias é mais rápida e ninguém consegue queimá-las na mesma velocidade que as consome. Pagar muito dinheiro em academia passou a fazer sentido em tempos de escassez de exercícios físicos, o que explica o sucesso do CrossFit.

Com isso, quero dizer que a tecnologia deve ser aplicada para resolver aquilo que é abundante e, assim, sobre tempo para que as empresas ganhem dinheiro com o que é escasso.

Além disso, a tecnologia deve ser analisada como última opção, e não a primeira. Pensemos em um aeroporto. Considerando a jornada do usuário, aeroportos podem ser encarados como lugares dantescos. São ambientes perde-perde. Explico.

Em aeroportos de grande fluxo, é muito provável que o passageiro tenha que enfrentar filas demoradas, seja no raio X, seja na espera para entrar no avião. Se chegar duas horas antes do voo e tiver muita gente na frente, obrigando-o a aguardar durante o tempo que tem sobrando, não poderá dizer que se deu bem. Afinal, gastou duas horas na fila, ainda que tenha conseguido embarcar no horário. Mas e se a pessoa chegar duas horas antes e não encontrar fila nenhuma? Também não pode afirmar que teve sucesso, já que passar tanto tempo assim numa cadeira desconfortável esperando o voo não é uma experiência das mais agradáveis. Por isso, do ponto de vista de satisfação do cliente, os 2 cenários são de perda, principalmente de tempo. O passageiro tem que mitigar o risco de perder o voo, o que exige um bocado de horas de sua vida.

Uma solução inovadora para esse problema está em teste no Aeroporto Internacional Afonso Pena, na região de Curitiba, Paraná, e se der certo, provavelmente será levada para outros aeroportos do país. A empresa Fast Track criou um plano de assinatura, em que o passageiro recebe um cartão com o seu nome completo. Sem chip nem qualquer outra tecnologia, ele ganha o direito de passar por uma porta de acesso rápido para cortar toda a fila do raio X e ser atendido de forma prioritária. E não precisa esperar em fila nenhuma. Em poucos minutos, está dentro do avião.

Por conta das inúmeras palestras que ministro, pego por volta de 200 voos por ano. Se eu fosse perder uma hora adicional em cada um desses voos em virtude da fila do raio X, estaria perdendo uma parte considerável da minha vida. É tempo demais. Mas assinando o serviço da Fast Track, ainda que o custo não seja tão baixo, o plano mensal acaba sendo extremamente barato para mim, porque o que ganho em retorno é muito mais valioso. Com o cartão, consigo me programar para chegar ao aeroporto só um pouco antes do horário do voo. Preciso de apenas alguns minutos de antecedência porque sei que, por ser assinante, serei atendido com rapidez e sem risco de perder o embarque.

O que é importante destacar nesse exemplo é o fato de que a inovação no caso da Fast Track não envolveu nenhuma tecnologia. Ela é fruto de uma observação processual, em que um modelo de negócio recorrente foi criado sem a utilização de robôs, nem de Inteligência Artificial. O que poupa o usuário de enfrentar todas as filas do aeroporto, em uma conveniência colossal, é um pedaço de plástico com o nome dele. Não foi preciso inventar uma nova modalidade de raio X, nem um equipamento de alta complexidade que permitiria às pessoas passarem pela fiscalização com mais velocidade, muito menos exigiu uma forma de inspecionar malas que fosse do futuro. O problema foi resolvido de modo processual, elegante e não tecnológico.

Para ter ideias assim, o foco não pode estar na tecnologia. É fundamental que a empresa tenha a capacidade de olhar com empatia e proximidade para as necessidades das pessoas. E, aqui, eu não tenho como deixar de citar 2 outros casos muito tocantes.

Se há uma experiência dita do futuro do varejo é a do supermercado da Amazon (Amazon Go, já mencionado no capítulo 3), em que o próprio usuário é o carrinho de compras. As câmeras detectam os produtos que são levados e basta o consumidor sair do mercado para que a cobrança seja efetuada no cartão do crédito registrado na plataforma. Há uma parcela da população que certamente é muito bem atendida por esse modelo. Porém, a antítese disso foi notada por uma rede de supermercados inglesa chamada

Tesco: pessoas com mais de 70 anos que pouco iam ao supermercado.

A empresa realizou uma pesquisa para investigar o motivo de esse público raramente fazer compras e descobriu que o que as intimidava era justamente a refração do excesso de tecnologia. A Tesco inovou, colocando em prática uma ideia que envolvia zero tecnologia, mas sim o olhar atento à jornada do usuário. Instituiu uma fila batizada de *slow lane,* em que há uma placa informando que ali o atendimento é realizado sem pressa. Os funcionários foram treinados para receber pessoas com esquecimento, demência, Alzheimer ou qualquer dificuldade motora e proporcionar conforto a qualquer um que pudesse se afastar caso fosse exposto a processos ultratecnológicos. A inovação foi a oferta de uma experiência de conveniência e também de acolhimento, sem que nenhum botão precisasse ser apertado.

Lembro também da Gillette, que passou décadas pensando em como aprimorar seu produto por meio de tecnologia. Estudou formas de criar lâminas que tornassem o barbear cada vez mais perfeito e confortável, que tivessem uma performance com flexibilidade, que não causassem irritação e proporcionassem durabilidade. Lançou no mercado aparelhos com 2 lâminas, e então 3, 4, até 5. Alguns modelos tinham cabos que respondiam aos contornos do rosto para um ótimo barbear, inclusive nas áreas mais difíceis. Quer dizer, o trabalho para aprimorar o que a empresa fabricava estava centrado em tecnologia.

Até que, em 2017, ao analisar seu público consumidor – o equivalente a 7 bilhões de pessoas –, a Gillette se deu conta de que o seu produto não era minimamente aceitável para uma parte importante de pessoas. O número de pessoas que não faziam a própria barba passava de 1 bilhão, em alguns casos porque não tinham um dos braços, em outros porque haviam sofrido uma queda e, portanto, estavam sem mobilidade, e havia também aqueles que conviviam com as sequelas de um AVC. Em outras palavras, era o público formado por pessoas que dependiam da ajuda de um cuidador para poder se barbear.

A Gillette passou tantos anos concentrada em tecnologia que acabou concebendo um produto um tanto narcisista. Sim, podem ser o melhor cabo e a melhor lâmina do mundo, mas servem somente para o usuário perfeito. Em 2017, a empresa, sensibilizada depois de ter esse olhar empático sobre o seu público, lançou a Gillette TREO, a primeira lâmina de barbear com o cabo virado para o cuidador. Não há grande tecnologia no modelo, é o mesmo cabo de plástico, extremamente simples, mas que possui a capacidade de reversão. A inovação possibilitou um ganho gigantesco no atendimento a esses usuários.

A propaganda desse produto é realmente emocionante, e sempre recomendo a todos que a assistam no YouTube, no canal da Gillette. Mostra a história real de um filho que, durante toda a vida, admirou a força do pai. Até que um acidente vascular fez com que ela desaparecesse. De repente, o homem que era tão forte se tornou frágil. E houve uma inversão de papéis: agora o filho tem que cuidar do pai todos os dias, inclusive fazendo a sua barba. Para o filho, é uma alegria e uma honra, já que está devolvendo o que recebeu durante a sua criação. É impressionante que uma reflexão tão tocante parta da viabilização de um produto que não tem o auge da tecnologia, mas a certa, que é importante para aquele público.

Acredito que, no lugar do fetiche pela tecnologia, a empresa deve colocar a experiência do usuário. A tecnologia correta é a que libera tempo para potencialização de um relacionamento, que é onde está a escassez e, portanto, a real geração de valor. Em um mundo com tanta digitalização, uma das coisas mais raras é o relacionamento humano.

Acho que a frase do filme *O grande ditador*, de Charles Chaplin, fecha bem toda essa discussão, principalmente se substituirmos a palavra "inteligência" por "inteligência artificial":

> Mais do que máquinas, precisamos de humanidade. Mais do que inteligência *[artificial]*, precisamos de amabilidade e gentileza.

O pensamento é de 1940, mas não poderia ser mais contemporâneo.

CAPÍTULO 8

O profissional do futuro

O gestor à frente de uma empresa que está tentando entrar na era da conveniência e o profissional que deseja ser pertinente no mercado de agora precisam ter a mesma característica: a vontade de se atualizar constantemente.

No passado, uma pessoa buscava uma formação sabendo que a faculdade entregaria um kit de ferramentas e de competências que seria utilizado ao longo de toda a vida profissional. No geral, o aprendizado formal mantinha-se útil e atual por três a quatro décadas, tempo que as grandes transformações do mundo e do perfil do consumidor também levavam para se desenrolar. Assim, ter um diploma de curso superior costumava ser suficiente para manter um profissional relevante durante toda a carreira.

Mas o quadro hoje não é mais esse. As pessoas estão trabalhando e vivendo muito mais tempo. As mudanças tecnológicas ocorrem em períodos cada vez mais curtos, o que acelera o *update* no comportamento do cliente, cuja barra de exigência não para de subir. Esses 2 motores, mais tempo e mais tecnologia, empurram para a irrelevância várias competências e apertam o prazo do *reskilling,* o equivalente a uma oxigenação profissional constante. Convivemos com cada vez menos caixinhas, menos títulos e menos manuais disponíveis.

Nesse contexto é concebida a primeira grande característica do profissional do futuro, que é o protagonismo. É a característica de homens e mulheres donos da sua história, CEOs da própria carreira, que abraçam a responsabilidade de compreender que cabe a eles, e a não a um chefe ou a uma organização, identificar quais são as mudanças que estão acontecendo no mercado de trabalho e mudar o que for preciso para serem gestores ainda melhores.

Não dá mais para contar com a faculdade ou a pós-graduação para obter as informações prontas. Os métodos tradicionais de educação possivelmente estão ensinando nesse exato momento conteúdo que já pertence ao passado. Mais importante do que se inscrever em algum curso, o profissional do futuro precisa procurar como obter novas competências de outras maneiras, seguindo as tendências criadas pelas transformações ao seu redor.

Há duas formas de olhar para a atualização profissional hoje, e, para explicá-las melhor, vou usar como metáfora o Jenga, em que os jogadores se revezam para remover blocos de madeira de uma torre. No início, tirar um bloco ou outro não provoca muitas alterações no todo. Mas, à medida que a partida progride, a estrutura se torna mais instável. Um bloco, mais um, outra remoção, até que um dos jogadores puxa a peça que fará a torre cair.

Esse momento de colapso seria a disrupção sentida por alguns profissionais como se fosse algo abrupto. De repente, se veem em conflito com a baixa empregabilidade. O negócio que mantiveram por anos se torna datado, e não há mais ninguém consumindo seu produto ou serviço, como se a proposta de valor que ele oferece não fizesse mais sentido para muitos clientes. A queda da torre pega esses profissionais de surpresa porque parece ter acontecido de uma hora para outra. Olhar a torre entrando em colapso e enxergar apenas o instante da queda é uma maneira – inadequada – de compreender a atualização de conhecimentos.

A outra forma é pensar que a torre começou a demonstrar fragilidade no minuto em que o primeiro bloco foi removido. O profissional do futuro percebe isso porque se mantém vigilante em relação à mudança das competências exigida pelo mercado. E, a partir do momento em que uma habilidade que possui se torna irrelevante no presente ou para o futuro, ele corre para modificar a peça com a intenção de garantir que a fortaleza profissional esteja sempre firme e bem-posicionada. Portanto, o colapso não é um momento, mas um processo que exige, além de protagonismo, muita disciplina.

Nas empresas inovadoras, fala-se cada vez menos de vagas de trabalho e de estabelecimento de relações de empregos. As contratações de carteira assinada estão sendo substituídas pelas entregas de *jobs,* pedaços de trabalho em que as coisas acontecem por projetos e *sprints.*

Pessoas que desejam melhorar sua empregabilidade irão encontrar menos empregos ao procurarem no mercado. Esse arranjo entre uma empresa e um funcionário, com duração de um mês, de um ano ou mais, está sendo deixado para trás. O mundo caminha para um sistema de plataformas de trabalho. Na prática, isso quer dizer que o profissional do futuro já não tem mais relacionamento com somente uma, mas com muitas empresas, para as quais realiza uma série de entregas.

O resultado é uma carreira que eu chamo de matricial. Nesse tipo de carreira, alguém utiliza competências específicas durante a manhã para entregar um projeto a uma companhia à tarde. Assim que o faz, se debruça sobre um segundo, que é de uma outra área de atuação, e entrega-o no final do dia para dar continuidade a um terceiro, cujo prazo de entrega encerra à noite. Ao longo do tempo, essas 3 minicarreiras irão evoluir, tirando esse profissional das vagas tradicionais de emprego. A época das carreiras seriadas, em que a pessoa dedica cinco anos a uma área, depois mais cinco a outra, está perto da extinção. O conceito de formação que servirá para a vida inteira já não tem mais sentido. O profissional deve ser mais flexível e ter capacidade de se reinventar em múltiplas carreiras.

Aos gestores, fica a responsabilidade de se relacionar com vários perfis de profissionais que irão se conectar e se desconectar da empresa num prazo curto. Em relações mais breves de trabalho, os líderes precisam ter o poder de engajar pessoas com rapidez, demonstrar propósito o quanto antes e convencer logo o profissional do porquê de ele ser importante para aquele determinado projeto.

Outro aspecto que deve ser levado em consideração por quem quer trabalhar no futuro é o de ampliar competências em espaços de tempo menores. Antes, alguém ganhava uma certa senioridade na carreira e, conforme crescia em cargos ou na administração dos negócios, sentia a necessidade de ter conhecimento que fosse além do kit específico de ferramentas que recebeu da universidade. E, quando tivesse um pouco mais de maturidade, era natural buscar um MBA ou uma pós-graduação justamente para ganhar amplitude de saber. Exemplos: o arquiteto que ia para a sala de aula para aprender sobre finanças, o profissional financeiro que queria entender melhor de marketing, a pessoa de marketing que precisava obter conceitos de recursos humanos.

Portanto, era esperado que profissionais com senioridade, gestores à frente das empresas e empresários com tempo de mercado tivessem um conhecimento múltiplo. E é assim até hoje. Mas o que começa a mudar é que, com o colapso dos empregos, as pessoas estão tendo de ir atrás dessa trajetória mais cedo.

Os profissionais costumavam batalhar para entrar em empresas e receber delas as determinações de quais competências tinham que desenvolver. Ao mesmo tempo eram as empresas que ditavam grande parte das regras, os comportamentos e os métodos de aprimoramento das equipes. Inclusive, havia a crítica de que, com esse kit de normas e condutas, as companhias acabavam cerceando demais a carreira dos funcionários. Só que hoje as próprias organizações não possuem mais um caminho de longo prazo traçado. Não existem mais os planejamentos de cinco anos, quanto mais os de dez ou vinte. E, estando a empresa em dúvida com o próprio trajeto, fica quase impossível delinear de forma tão definitiva o percurso para os colaboradores.

Foi o que aconteceu com os artistas. No passado, lutavam para serem bons músicos, bons cantores e para terem uma banda de qualidade, com o objetivo de chamar atenção de uma gravadora. Se conseguisse entrar no mercado tradicional, o artista ganhava uma plataforma de trabalho, em que a produção do álbum, a divulgação das músicas e o marketing para a turnê ficaram sob a responsabilidade da gravadora. Inclusive, não era incomum artistas que já tinham chegado em um estágio mais maduro da carreira e entendido como o jogo funcionava romperem contratos para lançarem o próprio selo, alegando se sentirem limitados artisticamente pelas constantes interferências da gravadora.

Mas o modelo de negócio no mundo da música desmoronou. Não há muito mais gravadoras de pé porque se tornaram desnecessárias. Agora o artista tem acesso a plataformas para divulgar seu trabalho em que o público está logo ali. Claro, não basta postar a música. Para ter sucesso em 2019, um cantor precisa ser influenciador no YouTube e em outras redes sociais. Tem que ser marqueteiro, gestor de carreira, deve entender de finanças para fazer investimentos em campanhas que trarão visualizações. A diminuição considerável no número de plataformas que estruturam o acesso ao mercado transformou a capacidade empreendedora de pilotar a própria carreira em item fundamental para o artista do futuro. O mundo está ficando mais aberto a oportunidades para quem é muito bom, e tendo uma porta de entrada mais complexa para quem está começando. Nisso, a inteligência artificial também tem seu papel, já que usualmente automatiza justamente as tarefas mais simples, aquelas que profissionais desempenham em começo de carreira.

O profissional que buscava senioridade no passado tinha que entender de *hard skills* e de *soft skills*. No primeiro caso, trata-se de habilidades quantitativas e mais ligadas a números, como Finanças, Contabilidade, Controladoria, Auditoria e Engenharia. Já o segundo envolve aptidões qualitativas, como Comunicação, Empatia, Liderança, Negociação e Inteligência Emocional. Um bom profissional sênior era o que tinha um mix desses 2 tipos de competências. Como a faculdade não garantia todas elas, um engenheiro que quisesse ser um líder de equipe, por exemplo, teria que exercitar a função para desenvolver a nova habilidade. Por outro lado, uma pessoa que fazia marketing, considerado uma *soft skill*, tinha que aprender a trabalhar com ferramentas mais quantitativas, como Analytics, para poder ter campanhas mais eficientes. Então, independentemente da área em que atuasse, todo profissional, em algum momento, tinha que aumentar o repertório para ser completo e trafegar bem entre os 2 mundos.

A grande mudança ocorreu com o surgimento de um terceiro vetor nas carreiras como um todo, após o ano de 1996, quando a internet entrou em grande parte das casas e das empresas. O profissional com mais anos de estrada, assim como todas as pessoas que nasceram antes da internet, teve que lidar com um novo idioma, que é o *digital*. Algo como se, até então, todas as pessoas que tinham sido alfabetizadas em português e que conheciam um pouquinho de inglês se deparassem com um mundo que, de repente, tinha começado a falar mandarim. E aprender uma nova língua quando se é adulto sempre é difícil.

As pessoas nascidas antes da internet, que não pertencem ao grupo dos chamados nativos digitais, têm o que apelidei de sotaque digital. Como no caso de alguém que está aprendendo um idioma ao qual nunca foi exposto e, ao arriscar frases na nova língua, traz resquícios do sotaque local, também é natural que haja uma certa dificuldade para muitos em entender as mudanças tecnológicas. Porém, não há desculpa para ficarem estagnados. Enquanto não desenvolvem intimidade com o idioma, é importante procurar intérpretes e se dedicarem extensivamente a adquirir fluência.

Você com certeza já observou, admirado, pelo menos uma vez, a garotada que pega um tablet na mão e, sem ter recebido qualquer instrução, já entende quase intuitivamente como tudo no aparelho funciona. A explicação para isso é que os jovens nasceram dentro do país digital. Para eles, a tecnologia é quase uma extensão dos próprios dedos. Mas isso não significa que os estrangeiros nessa nação tecnológica não irão aprender a falar a mesma língua. Certamente irão. A diferença é que precisarão fazer mais esforço.

Nas corporações, pessoas muito experientes, que construíram negócios sólidos e garantiram lucros durante muito tempo, nem sempre compreendem com facilidade que as táticas e métodos que funcionaram bastante por décadas não são os mesmos que as levarão para o futuro. O amanhã necessariamente envolve o digital e o entendimento do superconsumidor, atento a todas as inovações. E pode ser que haja uma certa tensão na empresa quando profissionais experientes, que não dão tanta relevância ao que é digital e abrem pouco espaço aos nativos digitais, cruzam com jovens arrogantes, que se recusam a entender que o depósito de experiência é analógico e exige tempo para ser construído. Porém, vale lembrar que, apesar de um nativo digital ter maior fluência nas linguagens modernas, nenhuma habilidade desse tipo substitui a experiência. Ter desenvoltura com tecnologia nada tem a ver com ter conhecimento e, principalmente, sabedoria.

Esse é o ativo mais importante do profissional do futuro. Por mais incrivelmente inteligente que alguém seja, terá que estudar e testar o conhecimento que adquiriu para garantir aprendizado. Terá que acumular vivência. Assim, conseguirá trafegar bem por esses 3 mundos – o digital, as *hard skills* e as *soft skills* – e se tornar um profissional disputado no mundo de agora e do futuro.

Experiência não está ligada à idade, mas ao número de experimentos que uma pessoa fez em cada um dos 3 mundos. Homens e mulheres com 50, 60, 70 anos podem ser absolutamente inexperientes no que diz respeito a aptidões que são muito importantes neste momento, assim como há os mais jovens, com uma fluidez incrível no digital, que talvez não tragam uma experiência nem uma competência de base adequadas.

Inovar é propor um novo olhar em um determinado assunto. E, para se fazer o novo, é preciso que haja uma base bastante robusta, com conhecimentos múltiplos, fruto também de troca de experiências. Não dá para fazer isso de maneira solitária. Por isso, o futuro pertence a quem consegue trabalhar em time e cooperar bem com equipes que tenham formação complementar.

Traçando uma linha histórica, nos anos 1980, o mercado valorizou pessoas que possuíam habilidades ligadas às Ciências Exatas. Era o dominante nas empresas do passado. Até que, na década de 1990, as *soft skills* vieram para o centro das discussões. Em 2019, novamente uma competência mais fria ganha destaque, que é o idioma digital. E, aqui, cabe um alerta. Diferentemente dos anos anteriores, a tendência não é mais valorizar habilidades isoladas. O profissional do futuro domina as *hard skills*, contudo é ligado também à empatia e à capacidade de ler as pessoas e de conseguir se relacionar com elas.

Em um mundo com menos manuais disponíveis e menos estradas prontas, será preciso trilhar mais caminhos desconhecidos. Com isso, há muita liberdade para atuar e oportunidades espetaculares para serem aproveitadas. Mas são elementos que pedem responsabilidade. Terão sucesso as pessoas que souberem cuidar de si e que guardarem a noção de que ninguém virá avisá-las a respeito das grandes transformações do mundo. Elas já entenderam que devem perseguir, por conta própria, o que for necessário para se ajustarem e permanecerem relevantes no mercado. Portanto, ter essa mentalidade sênior é condição *sine qua non* para quem quer andar no futuro.

Da mesma forma acontece com a agilidade, mas ela não pode ser uma desculpa para o despreparo. Não existem atalhos. O caminho mais curto para se ter uma empresa ágil não é um atalho, mas o preparo adequado que permite errar menos. A agilidade à brasileira tem bastante de improviso. Celebramos recordes no número de abertura de empresas numa velocidade muito grande, mas fechamos com a mesma rapidez, em incontáveis casos, porque o planejamento foi malfeito. O antídoto para isso é ter um sistema de cooperativa, um olhar voltado para as pessoas, o costume de buscar ajuda, de escutar quem tem conhecimentos complementares, a vontade de ser uma pessoa que se mantém instigada, que possui uma incrível inclinação para se reinventar e que está sempre em busca do desconforto, exposta ao que não conhece.

O empresário Roberto Medina, fundador do Rock in Rio, costuma dizer que a criatividade acontece no desconhecido. A frase define bem o perfil do profissional do futuro. Ele quer o que não lhe é familiar para entender melhor os consumidores e preparar os negócios para o presente e para o futuro. E para gente assim, que se sente preparada para viver em uma realidade com menos rotinas, menos padrões e menos manuais, há pela frente um mundo realmente incrível e cheio de oportunidades para ser explorado.

Colocar essa visão em prática passa por um determinado estado de espírito, em que a mentalidade precisa estar aberta e o olhar disposto a captar o que está ao redor, com atenção, curiosidade e sensibilidade. É algo que vai além da famosa frase, erroneamente atribuída a Einstein, que diz que insanidade é continuar fazendo sempre a mesma coisa e esperar resultados diferentes. Não se trata do fazer, mas do pensar. Então, atualizando a frase, acho que insanidade em 2019 é permanecer exposto às mesmas ideias e aos mesmos modelos mentais, que resultam na construção de negócios velhos e arcaicos. Só haverá mudança significativa para o empresário e para o profissional que conseguirem mexer na coisa mais difícil de se transformar: suas próprias cabeças.

CAPÍTULO 9

Conclusão

Certa vez li sobre pagamento por meio de *smartphone*, usando a tecnologia NFC por proximidade. Achei fascinante poder digitalizar meus cartões de crédito e eliminar a necessidade de carregar mais um item. Essa é a parte da tecnologia. Acreditava que seria difícil de usar porque certamente as maquininhas de pagamento precisariam ser de um novo modelo e que isso levaria anos para acontecer. Com uma rápida pesquisa descobri o contrário, para minha surpresa. Mais de 80% das maquininhas no Brasil já tinham nelas a capacidade de receber essa forma de pagamento. Essa é a parte da estrutura.

Moro em Curitiba, dita um dos lugares mais exigentes quando o assunto é comportamento do consumidor, uma belíssima cidade usada por várias marcas como campo de prova, pelo grau de dificuldade e pelo público com bom grau de adoção de novidades. Sabendo desse contexto, resolvi fazer um teste, digitalizar os cartões e passar um final de semana usando essa novidade. Foi um fracasso completo.

A primeira tentativa foi em uma grande rede de farmácias. No caixa, a atendente perguntou qual seria a forma de pagamento e prontamente informei: celular. Ela disse que isso não era possível, apenas dinheiro e cartão. Pedi se eu poderia tentar fazer a operação na maquininha, pensando que eventualmente ela desconhecesse essa modalidade. De fato, não tinha jeito. Quando quis saber qual alternativa eu teria, a resposta foi "deixar os produtos e voltar outra hora". Nenhum esforço em buscar ajuda, tentar resolver, nada. Foi o que fiz, deixei os produtos para voltar outra hora. Essa hora nunca chegou.

A segunda tentativa foi em uma das maiores varejistas do Brasil, e a situação foi assustadoramente parecida. Resolvi pesquisar para ver o que era necessário se o hardware estivesse preparado. O que faltava era alguém habilitar nas máquinas a opção correta. Simples assim: acessar o menu, habilitar e pronto.

No final do domingo, saí para correr no Parque Barigui apenas com o *smartphone* para monitorar a corrida. Já de saída do parque, vi um carrinho vendendo pipoca e me chamou a atenção que estava todo adesivado com as bandeiras de cartão de crédito. Resolvi tentar o improvável.

Ao me aproximar do pipoqueiro, perguntei, completamente sem esperanças e achando que estava perdendo tempo, se ele aceitava pagamento com o *smartphone*. Sem entender direito minha pergunta, ele calmamente respondeu: "Moço..., isso aí faz tempo já. Não entendi tua pergunta".

Palmas para o pipoqueiro!

Perguntei para ele o que o levou a se preocupar com isso. Muito pragmático, ele falou que simplesmente notou que no começo poucas pessoas pediram e ele nunca tinha ouvido falar. Pediu ajuda para o filho, que falou que isso estava "começando a pegar". Outro ponto que ele observou foi que, se ele não habilitasse logo, poderia começar a perder clientes. Para quem vende pipoca, 2 ou 3 consumidores a menos todo dia podem fazer toda a diferença.

O pipoqueiro deu uma aula de inovação. Ele fez 2 coisas que as grandes empresas que visitei não fizeram. A primeira foi a capacidade de ouvir o consumidor, de observar. Observação é mãe da inovação. A segunda, ele mudou seu processo para que fosse conveniente para seu público. Mais do que isso, ele fez alguma coisa, colocou em prática mesmo sem ter noções refinadas de *customer success* ou jornada do cliente.

A grande inovação que está em andamento é a possibilidade de entregar um grau de conveniência para o grande público a que apenas magnatas tinham acesso até recentemente. Uma pessoa comum hoje anda de motorista particular

(Uber), pode reservar em um aplicativo um lugar em um jatinho compartilhado (Flapper), evita a fila do raio X do aeroporto como uma celebridade (Fast Track) e ainda conta com um mordomo particular (James Delivery).

Pense nisso. Como seria a experiência de consumo da Rainha da Inglaterra? Certamente sem grande parte das pequenas burocracias e atritos com que convivemos. É exatamente essa jornada que o superconsumidor espera de sua empresa. É por isso que um novo conceito está ganhando destaque: sai o ROI – *Return on Investment* (retorno sobre o investimento) – e entra o ROX – *Return on Experience* (retorno sobre investimento em experiência do cliente). Esse conceito está inteiramente alinhado com tudo que foi discutido neste livro. Seus resultados serão retorno direto do tipo de experiência conveniente ao seu consumidor. A métrica é o somatório de duas partes:

ROX = CX (*Customer Experience*) + EX (*Employee Experience*)

Para alavancar os resultados de sua empresa, é fundamental focar na experiência do consumidor (CX) por meio da experiência de seus colaboradores (EX). Lembre-se do case da Pormade: uma cultura inovadora é a base para que os colaboradores criem experiências incríveis para seus consumidores.

O checklist para inovar focando em conveniência é o seguinte:

1. Diagnóstico da jornada atual do cliente.
2. Identificar todos os pontos de atrito.
3. Identificar no seu modelo de negócio como as 7 facetas da conveniência poderiam transformar a situação atual.
4. Usar a tecnologia na proporção adequada para resolver etapas transacionais.
5. Potencializar ao máximo tudo que for analógico, tudo aquilo que a tecnologia não pode entregar. Humanizar!
6. Oxigenar com disciplina os 5 primeiros passos, sempre focando na conveniência do seu consumidor.

A principal preocupação que tenho ao preparar uma palestra – e o mesmo vale para este livro – é que não seja apenas uma curiosidade. Fatos interessantes, novidades ou cases do que outros fizeram não causam mudanças significativas; na verdade não causam mudança nenhuma. Conhecimento pouco vale sem transformação. Fico pensando o que aconteceu após cada palestra, o que as pessoas efetivamente colocaram em prática, e não há nada mais recompensador do que receber uma mensagem meses depois contando como tudo isso aconteceu.

Estatisticamente, poucos chegam ao final de um livro, e se você chegou até este ponto queria lhe agradecer muito por ter decidido adquirir *Conveniência é o nome do negócio* e confiado tanto tempo de leitura em busca de aprendizado.

Só posso desejar muito sucesso – e, por favor, coloque algo em prática. Não precisa tentar criar o próximo unicórnio para impactar 1 bilhão de pessoas: elimine um maldito formulário. Consigo vir até aqui, daqui para a frente o que vai mudar depende única e exclusivamente de você.

Tenho comigo que, na média, cada pessoa e cada empresa está exatamente onde deveria estar, alcançando resultados compatíveis com as competências que adquiriu e sua capacidade de realizar. O mercado não é seletivamente cruel ou deve algo para alguém, ele recompensa quem é mais determinado e fecha o ciclo da inovação, de uma nova concepção até um novo resultado. Nossas empresas são tão inovadoras quanto nós somos; nossos consumidores são tão fãs quanto nossa capacidade de entregar isso todo dia.

Sucesso!

Arthur Igreja

Agradecimentos

À minha irmã Marina, meus pais Branca e Hélio, além de todos os familiares.

Aos irmãos que a vida me presenteou: Kristian, Minas, Pitorri, Markus e Victor.

Aos meus sócios no AAA, Allan Costa e Ricardo Amorim, e nosso time liderado pelo Lucas.

À minha equipe que tem papel fundamental em cada conquista, obrigado Joice e Flávia.

Aos envolvidos diretamente neste projeto, Clarissa, Diego, Gabriela, Cassiano, além de toda a equipe da Editora Planeta.

A todo o querido público das palestras e amigos das redes sociais.

Aos amigos, parceiros e clientes: Agatha Arêas, Alessandro de Carli, Claudemir Hellmann, Cleverson Cologni, Curitiba Angels (especialmente Léo Jianoti, Maurizio Calcopietro e Chico Santos), Eduardo Ferraz, Elisandro Panisson, Fabio Beal, Glauco Cavalcanti, Luis Justo, Marco Tulio Zanini, Odirley Rocha, Ricardo Callizotti, Teodóra Szábo, Vânio da Maia e Yann Duzert.

Em especial para minha amada Jaqueline, parceira em todos os momentos.

Obrigado!

**Acreditamos
nos livros**

Este livro foi composto em Janson Text LT Std e
impresso pela Geográfica para a Editora Planeta
do Brasil em outubro de 2019.